CW00386474

Syched am Sycharth

Cerddi a chwedlau taith Glyndŵr

Iwan Llwyd

Ifor ap Glyn

Geraint Løvgreen

Twm Morys

Myrddin ap Dafydd

Argraffiad cyntaf: Gorffennaf 2001

Rhif Llyfr Safonol Rhyngwladol:
0-86381-739-4

Lluniau: Iwan Llwyd; Gwasg Carreg Gwalch
Lluniau o'r perfformiadau: Owain Tudur Owen, Croesor

Argraffwyd a chyhoeddwyd gan Wasg Carreg Gwalch,
12 Iard yr Orsaf, Llanrwst, Dyffryn Conwy, LL26 0EH.
01492 642031
01492 641502
llyfrau@carreg-gwalch.co.uk
lle ar y we: www.carreg-gwalch.co.uk

Y beirdd oedd rhai o edmygwyr pennaf Glyndŵr. Roedden nhw yn ei foli a'i gefnogi yn ystod ei wrthryfel, a nhw hefyd a gadwodd ei hanes a'i weledigaeth yn fyw am ganrifoedd wedyn. I ddathlu chwe chan mlwyddiant gwrthryfel Glyndŵr, bu nifer o feirdd cyfoes Cymru ar daith drwy Gymru ym mis Medi 2000, gan gyrraedd Machynlleth ar Ddydd Gŵyl Glyndŵr, sef Sadwrn, 16 Medi.

Mae'r sioe **Syched am Sycharth** yn cynnwys cerddi a chaneuon dwys a doniol, hanesyddol a chyfoes gan ddangos cymaint – a chyn lleied – sydd wedi newid yng Nghymru dros y 600 mlynedd diwethaf. Fe barhaodd y gwrthryfel am bymtheng mlynedd, felly fe fydd y beirdd yn teithio am rai blynyddoedd eto!

Mae cyfuniad o arddulliau gwahanol y perfformwyr – Ifor ap Glyn, Twm Morys, Iwan Llwyd, Geraint Løvgreen a Myrddin ap Dafydd – yn sicrhau bod digon o amrywiaeth yn y deunydd.

Cafwyd ymateb 'anhygoel' i'r nosweithiau. 'Roedd y gynulleidfa yn mwynhau clywed am yr hanes a'r straeon ond hefyd yn ymateb i sawl asgwrn yn cael ei grafu. Tae Glyndŵr wedi dod heibio Tafarn y Ring, Llanfrothen; Y Giler, Pentrefoelas neu Dafarn y Castell, Rhuthun ar ôl y perfformiadau yno, fyddai o ddim wedi'i chael hi'n anodd i godi byddin newydd!

Roedd beirdd fel Iolo Goch a Gruffydd Llwyd yn ganolog i ymgyrch Glyndŵr, yn rhyw fath o 'sbin-ddoctoriaid' eu cyfnod yn canu clodydd Glyndŵr, yn cyfiawnhau ei wrthryfel ac yn sôn am y 'mab darogan' a ddaeth i waredu'r Cymry. Ac wrth gwrs, roedd croeso hael Glyndŵr yn ei gartref yn Sycharth, yn enwog, ac yn sicrhau teyrngarwch y beirdd. Roedden nhw'n giwed beryglus yng ngolwg awdurdodau Lloegr, ac yn y deddfau cosb a osodwyd ar y Cymry ar ôl y gwrthryfel, gwaharddwyd beirdd rhag teithio o dref i dref ag i adrodd eu cywyddau maleisus.

Oes rhywun wedi clywed beth ddigwyddodd i'r ddeddf honno? Efallai eu bod nhw'n dal i'w thrafod i lawr yn y Bae ...?

Y gosb am fod yn Gymro

Pan sefydlwyd y cestyll a'r bwrdeistrefi Edwardaidd yng Nghymru yn dilyn 1282, pasiwyd nifer o ddeddfau oedd yn rhoi manteision i'r bwrdeistrefwyr Seisnig gan atal hawliau'r Cymry brodorol. Eu diben oedd cadw'r Cymry yn dlawd ac yn gaethweision bron yn y tiroedd llwm, tra bo'r cyfoeth a'r grym yn nwylo'r trefedigaethwyr. Y gobaith oedd y byddai'r Cymry yn rhy wan a thlawd i ryfela am annibyniaeth eto.

Wedi i Owain Glyndŵr a'i ddilynwyr godi arfau yn erbyn y drefn honno, pasiwyd nifer o ddeddfau ychwanegol gan lywodaeth Llundain oedd yn cosbi'r Cymry ac yn gwasgu ymhellach ar ein hawliau fel pobl. Y rhain yw'r Deddfau Penyd ac yn ôl arbenigwr ar y cyfnod, yr Athro R.R. Davies 'Ni fu statud seneddol mor amrwd hiliol â hon'.

Bwriad y Deddfau Cosb oedd darostwng y genedl a'r Gymraeg a cheisio diffodd fflam y gwrthryfel. Mae hynny'n amlwg yn y cymal oedd yn gwahardd y beirdd rhag derbyn unrhyw nawdd yng Nghymru. Gwyddai'r awdurdodau am ddylanwad barddoniaeth ar y Cymry a'r effaith a gâi eu geiriau ar arweinwyr ac ar y werin. Roedd y beirdd yn atgoffa'r bobl o'u hanes, o'u gwrhydri ac yn cynnal y gobaith am ryddid. Hen gnafon am gorddi'r dyfroedd fu'r beirdd erioed ac felly roedd rhaid gwahardd eu cerddi.

Er mor llym oedd y deddfau, dewis eu herio a byw y tu allan i'r gyfraith a wnaeth miloedd ar filoedd o Gymry yn ystod y gwrthryfel. Daeth bod yn un o 'blant Owain' i olygu bod ar herw a gwyddent mai ymladd yn nannedd cael eu dienyddio fel unigolion, ac fel hil, yr oeddent.

Y Deddfau Penyd

Welshmen shall not be armed

No Victuals or Armour shall be carried into Wales

Welshman shall have any House of Defence

No Welshman shall be an officer

There shall be no Assemblies in Wales

Englishmen shall not be convicted by Welshmen in Wales

Castles and walled Towns in Wales shall be kept by Englishmen

To avoid the many disturbances and mishchiefs which have occurred heretofore in the land of Wales, due to Wasters, Rhymers, Minstrals and other Vagabonds, it is decreed that no Waster, Rhymers, Minstral or Vagabond in the land of Wales shall receive any sustenance from the people (R.R.D. t.285)

Chei di ddim odli

'There shall be no rhymers'

Chei di ddim byw mewn tre;
Chei di ddim agor siop;
Chei di ddim prynu tir
Na mynd yn gop;
Dwyt ti ddim yn bodoli;
Sgen ti'm llais i'w godi,
Ond gwaeth na hyn, fy mhlentyn gwyn:
Chei di ddim odli.

Chei di ddim deud y dylid dal brenin
Y Saeson a'i roi mewn cawl cennin
A'i ferwi, a'i ferwi
Nes fod o'n drewi:
Achos chei di ddim odli.

Chei di ddim deud fod Dafydd Gam
Yn llinyn trôns ac yn fabi mam,
Na llenwi'i goleri
Efo cacamwnci:
Achos chei di ddim odli.

Chei di ddim deud y rhown Gymru ar dân,
Y bydd creigiau'n atseinio ein cân
Cyn y talwn drethi
I gastellwyr Cydweli:
Achos mae hynny'n odli.

Chei di ddim deud fod yr Arglwydd Grey
Yn fochyn barus a'i bod hi'n O Cê
Llenwi'i din efo paraffin
A'i losgi:
Achos chei di ddim odli.

Chei di ddim canu'n gaeth am ddod yn rhydd
Na darogan y daw'n ei ôl rhyw ddydd
Na cheisio llonni'r
Rhai sy'n digalonni:
Achos chei di ddim odli.

Ond cei sibrwd, dan dy wynt, wysg cefn dy law:
Owain, cannwyll brwydr; cist breuddwydion ddoe;
Fflach yn y drych ar wlad yfory,
Achos does 'na ddim odl yn hynny.

Dim ond barddoniaeth.

Geiriau: MapD
Alaw: GL

Y Wers

Roedd gan Owain Glyndŵr frawd, Tudur, a oedd ryw dair blynedd yn iau mae'n debyg – er bod un hanes yn awgrymu bod y ddau yn efeilliaid. Yn sicr, roedd y ddau yn agos iawn, a bu'r ddau yn gwasanaethu gyda'i gilydd yn yr Alban yn 1384-5. Lladdwyd Tudur ym mrwydr Brynbuga yn 1405. Pan oeddent yn blant gallai'r ddau fod wedi derbyn eu haddysg gynnar gan fynachod Abaty Glyn-y-groes ger Llangollen, ac efallai mai yno y dechreuodd diddordeb Owain yn y beirdd a'u gwaith. Efallai nad cyd-ddigwyddiad yw'r hanes gan Elis Gruffydd am gyfarfyddiad rhyfedd rhwng Owain ac abad Glyn-y-groes ar ddiwedd y gwrthryfel, a'r abad yn cyhuddo Owain o fod wedi codi'n rhy fuan.

Mae'n well gen i yma nac yn cyfri paderau
mewn mynachlog oer ar gwr y gororau;

mae 'na aelwyd yma, dan fendith Dewi,
a thân a chroeso i 'nghadw rhag rhewi,

er mai dim ond un o'r ddau walch sy'n gwrando,
a ph'run 'di p'run, fyddai byth yn cofio,

a be wn i am yr hen wrolgampau,
am chwarae'r ffon ddwybig neu drin y cleddyfau,

am redeg a nofio, saethu a marchogaeth?
ond o leiaf mae gen i glem am ddarllen barddoniaeth:

"dewch hogiau, canolbwyntiwch, mae mam yma'n gwrando,
pa gwpled o gywydd wnaethom ni ddysgu heno?"

ond waeth i mi siarad â'r ddesg yma fymryn,
ni all gwydr gau i mewn ddychymyg plentyn,

mae'u breuddwydion nhw allan yn crwydro'r machlud,
fel cysgodion hirion helwyr yn dychwelyd.

ILl

Stiwdants

Trwy nawdd Syr David Hanmer, ei dad yng nghyfraith yn y man, bwriodd Owain ei brentisiaeth yn Neuaddau'r Frawdlys yn Llundain, a chael ei drwytho yn y cyfreithiau. Deuai gwŷr ifanc o bob rhan o ynysoedd Prydain i Lundain i astudio'r gyfraith, oedd yn fwy a mwy pwysig i dirfeddiannwr yn y cyfnod. Ar farwolaeth Syr David yn 1387, Owain oedd yn gyfrifol am drefnu'r ystad. Bu ei wybodaeth o gyfreithiau Lloegr a Chymru yn bwysig i Owain gydol ei oes.

'Dyw'r hen stiwdants ddim fel y buon nhw,
y cymeriadau oedd yn llenwi'r coridorau
ag acenion Efrog, Cernyw a Chymru:

mae'r oes wedi newid,
eu hwynebau nhw i gyd yr un fath,
pwysau gwaith ar eu sgwyddau,

sŵn pres yn eu pocedi:
'does gan y rhain ddim amser
i gynnau sgwrs â hen gono fel fi;

maen nhw'n rhy brysur
yn rhoi mapiau ar gof a chadw,
cyfreithloni ffiniau,

dysgu ystyr y bylchau rhwng geiriau
rhag i dwrnai rhyw arglwydd arall
lithro rhyngddyn nhw:

ond wedyn, ddyliwn i ddim cwyno,
maen nhw mor ddiwyd
yn canolbwyntio'n astud,

baich dyn diog yw cadw trefn.

ILl

Gyda'r Goron

Mae troi'r gwrthryfelwr yn Gurkha o blaid y goron yn hen gast gan goncwerwr ac mae'r holl gatrodau trefedigaethol ym myddin Lloegr yn adrodd yr hanes drosto'i hun. Wedi i Edward I gael y llaw uchaf ar y Cymry yn 1283, fu yntau ddim yn hir cyn hawlio gwasanaeth milwrol y Cymry yn ei fyddin. Un o achosion gwrthryfel Madog, 1294-5 oedd gwrthwynebiad i'r orfodaeth ar filwyr Cymreig i fynd i wasanaethu yn Ffrainc. Ychydig flynyddoedd yn ddiweddarach, aeth miloedd o filwyr traed o Gymru gyda byddin Edward i'r Alban yn erbyn Wallace. Aeth yn ffrwgwd rhwng y Cymry a'r Saeson ger Caeredin. Lladdwyd nifer o Saeson a gadawodd y Cymry ochr y brenin gan sefydlu eu gwersyll eu hunain. Bu ond y dim iddynt ymuno â'r Albanwyr a throi'r fantol o blaid Wallace y tro hwnnw.

Diflannodd yr uchelwyr Sacsonaidd ar ôl i'r Normaniaid orchfygu Lloegr ond nid felly fu hi yng Nghymru. Cadwodd yr uchelwyr Cymreig eu hawliau traddodiadol i raddau ac ni allai'r llywodraethwyr newydd reoli hebddynt. Agorodd drysau i rai o'r uchelwyr – yn bennaf i arwain catrodau o Gymry, yn wŷr traed ac yn wŷr bwa hir, i ymladd yn rhyfeloedd Ffrainc a'r Alban. Daeth rhai capteiniaid o Gymry yn bur enwog fel Syr Degory Sais a Syr Hywel y Fwyall.

Magwyd Owain Glyndŵr yn yr un traddodiad. Dysgodd drin arfau o oedran ifanc ac aeth gyda Tudur ei frawd yn rhan o gatrawd Cymreig o dan Syr Degory Sais i Berwick-on-Tweed yn 1385. Wedi hynny, gwasanaethodd gyda chlod yn llynges Iarll Arundel ac yn Fflandrys. Gwnaeth enw iddo'i hun fel ymladdwr ffyrnig a dewr ac yn ddiweddarach bu'n rhan o'r fintai a aeth i Iwerddon yn 1394. Roedd y Saeson, hyd yn oed, yn cyfaddef ei fod yn 'batrwm o ryfelwr'.

Roedd digon o brofiad rhyfela gan yr uchelwyr Cymreig a'u dilynwyr ar ddiwedd y bedwaredd ganrif ar ddeg. Roedd hynny'n gyfleus iawn i goron Lloegr tra oedden nhw'n ufudd, ond roedd 'na beryg hefyd petai'r Cymry'n cael achos i ddefnyddio'r gallu hwnnw o'u plaid eu hunain. Tybed a welodd Owain rywbeth a wnaeth argraff arno yn null ac yn ysbryd yr Albanwyr wrth iddynt ymladd?

Efo'r fyddin yn yr Alban

Degory Sais	Rascals, Owen, dyna ydi'r Scots Rules of warefare iddyn nhw dim ots Maen nhw'n frightfully cowards, yn atacio'n y nos Neu'n y coed pan dan ni'n troi clos, Ti fel fi Owen, yn cyntri gent Ond mae'r bygyrs yma yn blydi bent.
Owain	Tydyn nhw ddim yn sefyll yn rhesi hirion Na rhoi plu fflamingos mewn hetiau gwirion.
Degory Sais	Maen nhw'n sgrechian wrth daro, dim dignitî Heb order yn y ranks fel ti a fi.
Owain	Does neb ar geffylau yn hysio'r gwŷr traed... Maen nhw'n ymladd fel tae o yn eu gwaed.
Degory Sais	Maen nhw wedi'u gwisgo fel byddin o tramps Heb ogla rôst-biff yn dod o'u ffaiyr camps A be sy'n funny, Owen, I must say: 'San nhw efo ni, 'san nhw ar ffarthing a day. Dydyn nhw ddim yn credu mewn King na Duw; Mae'u gwlad yn rhy wyllt – dim lle decent i fyw A'u trefi nhw i gyd yn jerry-bilt.
Owain	'Sgwn i be 'sgennyn nhw o dan y cilt???

MapD

Cadw'r ffin

Roedd ein tylwyth ni yma o'r blaen,
yn meddwi blwyddyn, yn feddw fawr,
yn chwerthin ffarwél yng nghusanau merched:

ddaethon nhw ddim yn ôl,
ond mae eu henwau'n gleddyfau'n atseinio
yng nghân y beirdd, ar ein byrddau ninnau:

fe ddywed rhai ein bod ni yma
i glymu careiau coron Lloegr,
ond fe ŵyr rhai ohonon ni'n well:

cymrwch chi hwnna yn fanna,
yr un â draig ddigon carpiog ar ei darian,
mae ganddo fo gynlluniau,

wedi mopio ar fapiau,
yn treulio'r nosweithiau'n hel achau
yn lle ei bachu hi gyda'r hogiau

i yfed cusanau a meddwi ar ferched,
maes llafur milwr ar ffin estron,
mae gynnon ni i gyd ein cymhellion.

ILI

Dwy Daith

Lle gwyllt, diarffordd oedd Cymru yn nyddiau Glyndŵr – wel, i ymwelwyr beth bynnag. Ond er mor anodd a garw oedd y tirwedd, roedd pobol yn teithio am nifer o wahanol resymau – porthmyn yn gyrru defaid a gwartheg; beirdd yn ymweld â thai noddwyr, milwyr a swyddogion yn casglu trethi a chadw trefn; myneich ac offeiriaid yn gwerthu creiriau a gwrando cyffes.

Ond gwahanol iawn fyddai map swyddog o Sais a bardd o Gymro. Byddai'r swyddog o Sais yn cadw at y bwrdeistrefi ac at lwybrau'r arfordir lle'r oedd cestyll Edward yn gadwyn ddi-fwlch. Roedd y bardd ar y llaw arall yn nabod llwybrau a bylchau'r berfeddwlad fel cefn ei law. Gwyddai Glyndŵr am y ddau fap, ond dim ond un ohonyn nhw a fyddai o ddefnydd iddo fo.

Yn foliog deuai'r swyddog o Sais
ar siwrne i'r wlad anghwrtais,
a fynnai siarad yr iaith wirion 'na
bob tro y troai ei gefn:

glynai'n dynn yn y glannau,
Rhuddlan, Conwy a Biwmares;
cadw'n ddigon pell oddi wrth y clogwyni tywyll,
tir yr herwyr a'u gwragedd gorffwyll,

yr anwariaid troednoeth a ffermiai'r ucheldir
a'r dyffrynnoedd bach cul, lle'r oedd ceirw hir
a chrehyrod yn potsian yr afonydd:
arhosai cyhyd ag oedd raid, cyn hwylio'n

ddiamynedd yn ôl i lys cyfforddus Caer,
yn ddigon pell o'r cestyll tywyll
a'r bwyd gwael, gan adael gweinidog
llwgr ar ei ôl i gasglu'r llog.

Roedd golau ym mhen draw pob cwm
i'r bardd, a'r llwybrau'n batrwm:
roedd ei fap ar gefn ei law ac yn ei gynghanedd,
a de a gogledd cyn agosed

â'r odlau a glymai ei linellau,
a chodiad a machlud haul yn pontio'r afonydd:
nid gwlad o furiau a chaerau, ond gwladoedd
o gaeau'n enwau cyfarwydd,

a thai a'u drysau'n agored trwy'r dydd:
o Faelienydd i Elfael i Fuellt,
a hanes pob teulu'n goleuo'r conglau tywyll:
ni ddeuai ar draws y swyddog boliog ar ei siwrne

ni fyddai eu llwybrau'n croesi,
ond fe wyddai na fyddai'n llwgu
o dan y sêr ar noson ddu:
a byrddau Cochwillan yn drwm dan geirw hirion a chrehyrod.

ILl

Ffrae yn y Cae

Un bore, cyn i'r gwlith godi roedd Owain ap Gruffudd Fychan ap Gruffudd ap Madog yn cerdded mewn cae iddo yng Nglyndyfrdwy, yr un fath â'i dad a'i daid a'i hen daid o'i flaen. Ac am hynny roedd o'n meddwl, efallai, a'r durtur yn y llwyn yn canu, ac anadl y gwartheg yn darth, a'r sgwarnog yn llechu yn y gwair. Ond roedd 'na ddyn arall yn cerdded yn y cae hefyd, a map hwnnw'n gwbwl wahanol. Meddwl roedd hwn am faint o *chalets* y medrai o eu codi yno.

Y ffrae am y cae

Grey: *Hey you there! Do you understand*
You're trespassing on private land?

Owain: Dwi'm yn fyddar, yr uffar rŵd –
Pwy ddiawl 'ti'n meddwl wyt ti cwd?!

Grey: *I'm Lord Grey. Lord Reginald Grey.*
And I order you to go away.

Owain: Nid arglwydd yn ein golwg ni,
dim ond rhyw arglwydd cacan Gri.

Grey: *I mean, really, it's a damned disgrace:*
You come here as if you owned the place!

Owain: Cerddodd fy nghyndadau ar hyn o ddôl,
a cherddwn 'ma eto, ymhell ar dy ôl ...

Grey: *People like you make me very vexed;*
You'll be taking over the whole bloody country next!

Owain: Wel Reggie bach, 'ma beth yw sioc –
ti'n iawn am unwaith! Ta ta, tan toc ...

IapG

Gosod ffin

Pan gyflwynodd Glyndŵr gwynion i'r Senedd yn Llundain ynglŷn ag anghytundeb ffiniau yng Nglyndyfrdwy, mae'n debyg i'r byddigions oedd yn aelodau yno ddweud am y Cymry, *'What do we care for those barefoot rascals!'* Fel y gwelsom, fe wyddai Owain y gyfraith, a'i hawliau. Doedd dim rhaid iddo gowtowio i arglwyddi Llundain.

Yn droednoeth fe deimlai
gyhyrau'r tir dan ei fodiau:
cymoedd a dyffrynnoedd,
esgair a gwrychoedd yn ffiniau:

yn droednoeth medrai gerdded
yn hyderus o'r dwyrain
tua'r gorllewin, a lliwiau'r
pelydrau aur yn ei arwain:

yn droednoeth daeth gerbron
arglwyddi llwyd y goron,
pob map yn llwybr ar bapur,
llinellau cyfesur eu hacenion:

gwawdiwyd y teithiwr troednoeth,
y ffŵl naturiol ei ffiniau;
ni welai'r doethion yn eu bwtsias drud
bod y wlad i gyd dan ei wadnau.

ILl

Sycharth

Canodd Iolo Goch na fyddai syched fyth yn Sycharth, ac roedd ei gywydd mawl i Owain yn cymharu'r lle ag Eglwys Gadeiriol Sant Padrig yn Nulyn a Chloystr Abaty Westminster. Roedd y lle yn gyfoes o ran cael llechi ar y to ac yn rhyfeddol oherwydd y gwydr lliw yn y ffenestri. Y rhyfeddod pensaernïol hwn a losgwyd i'r llawr gan y Tywysog Harri ym 1403. Faint mwy o lysoedd tebyg a gollwyd tybed? Fyth ers hynny fe baldaruodd rhai nad oes traddodiad pensaernïol yng Nghymru. Myth arall. Ond fe wyddai'r beirdd yn wahanol.

Yma daw'r penseiri geiriau
i feddwi ar y ffenestri lliw
a goglais y sêr ar dop bryn glas:

ailgodi, ag odl a chynghanedd,
ogoniannau Dulyn a'r cyfandir,
a llenwi naw tŷ a naw wardrob â cherdd,

a chreu â'u mesurau gaer
i warchod teulu a chydnabod
a chynnal tras:

ac ar ŵyl, yng ngwres y tannau,
mae'r beirdd yn bwrw englynion yn bileri
ar ynys werdd,

cyn cerdded i le arall, a gadael palas
lle nad oedd ond crugyn mewn cilgant aur
a llwyn o goed ar dop bryn glas.

ILI

Glyndyfrdwy

Roedd gan Owain ail gartef yng Nglyndyfrdwy, ger Corwen. Bryd hynny fe fyddai'r llwybrau yn arwain yn naturiol dros y mynydd o Sycharth. Mae enwau Sycharth a Glyndyfrdwy wedi eu cadw yng nghywyddau'r beirdd, â'u holl arwyddocâd. Yn hynny o beth, mae mwy o wybodaeth yng ngeiriau'r beirdd nac yn unrhyw olion a fyddai'n cael eu cloddio gan archaeolegwyr. Nid meini ond geiriau sy'n cynnal Owain.

Nid tŷ ha' mo'r plasdy hwn
neu feili neu bafiliwn,
nid tŵr rhyw uchelwr chwaith
lle gweinir twyll a gweniaith;
nid brawdlys na llys ydi'r lle,
nag eglwys a'i sŵn gwagle:

nid meini roed yma unwaith
ond hoelion trymion yr iaith
yn nistiau'r croeso distaw
a threfn y dodrefn di-daw;
y muriau yw'r ffrindiau ffraeth
yn neuadd y gwmnïaeth:

ac wrth ei heglu hi o'r helynt
welais i mo'i wyneb,
yr un â'r ddraig ar ei galon,
ond wedi'r storm, fe fydd 'na fusnes,
a milwyr o ffwrdd â phres i'w wario,
a llwybrau mydlyd, a nentydd i'w croesi:
mae'r tywydd 'ma wedi newid.

dacw fwrdd derw Glyndŵr
a bwrlwm beirdd yn barlwr,
cyfeillion yn coroni
â gwên iach ein t'wysog ni:
llety'r iaith yw'r man lle trig,
y gaer na wnaed o gerrig.

ILI

Rhy hen i fod yn rebel...

Un o'r pethau arwrol ynglŷn â hanes Glyndŵr ydi mai nid rhyw hipi ifanc penboeth, dwy sach a mul oedd o. Roedd yn uchelwr, yn dirfeddiannwr, yn un o'r Cymry prin oedd wedi cadw ei hawliau teuluol traddodiadol.

Roedd yn ganol oed, yn byw mewn dau blasty moethus ac roedd ganddo gymaint i'w golli. Mae'n siŵr fod rhai lleisiau yng Nghymru bryd hynny yn twt-twtio ei fod wedi cymryd cam ffôl iawn o safbwynt ei yrfa yn y byd hwn.

Y Lleisiau:
'Ond ti'n ddeugain Owain ap –
rhy hen i herio anap.
Elli di ddim rhoi ar dân
y dre a'r holl wlad rŵan.'

'Nhw'r beirdd sy'n berwi ei ben:
gwdihwio gyda'u hawen,
afon Teifi'n tai tafarn
ymhell o'u co'n cymell carn,
ond awr y gweithredu – o!
y cywyddwyr sy'n cuddio!'

'Cael llwyth o gwrw 'Mwythig,
menyn a chosyn a chig,
hela â gweilch, moli gwin,
peidio ypsetio'r pwdin
yw saga'r holl bwysigion
yn ganol oed, ganol lôn...'

'Tros ddeugain yw Owain ap
a nacyrd yw un nîcap:
mae'n ffrog o beth mewn ffrwgwd
a chlwy'i gyfrwy tan ei gwd...'

'Fear not! For Owain, he
is a fart past his forty,
only fit for table-footie!'

'Dyn slipars yw'r hen Darsan
un mwyn yw'r hen Ddoberman
a hel moths mae ei helm wen:
tywysog dwrn letusen!'

'Callia, myn Duw, rhag colli
dy enw hardd; gwadna hi
rhag y rhywun sy'n y sêr:
byddi di yn *Glendower*.'

Llais Owain
'Deugain wyf a digon hen
i wywo dan yr ywen
ac i welwi o'r golwg
yn y drain. Mae'n oedran drwg
ond mi wn y carwn, cyn
bwrw rhyddid i briddyn,
gael byw yn lle baglu bod,
gael lle ymysg y llewod.'

MapD

Syr, mae'r beirdd yma eto...

Hawdd anghofio heddiw bwysigrwydd y beirdd yng nghymdeithas Glyndŵr. Roedden nhw'n geidwaid gorffennol yr hil, yn hyddysg mewn mythau ac achau, ond roedden nhw hefyd yn dehongli'r gorffennol hwnnw ar gyfer y dyfodol. Dyna oedd y canu brut yn ei hanfod; mytholeg oedd ideoleg y bymthegfed ganrif...

Ond beth petai Glyndŵr wedi 'laru ar yr holl feirdd 'ma yn galw heibio'i dŷ? (Fel y gwnaeth trwch uchelwyr Cymru, rhyw ddwy ganrif yn ddiweddarach.)

Yn y gerdd hon, mae rhai o syniadau mwyaf pellgyrhaeddol Glyndŵr yn deillio o'i ymdrech i droi'r beirdd o'i ddrws; 'ni allaf ddianc rhag y rhain'

Gwas: Syr, mae'r beirdd yma eto ...

Owain: Yr haflug hafing sydd am hysio popeth i'w hald?
(Dwi'n dechra swnio fatha un
a pha ryfadd ?!)
Mae cŵn defaid eu hawen
yn ymwelwyr cyson
yn ceisio corlannu'r cyfan,
yn gofyn gweilch,
yn mynnu meirch,
yn fy haslo am faslard,
yn fy mlingo i'n fyw!

Gwas: Syr, mae'r beirdd yma eto ...

Owain: Duda mod i 'di mynd
i Argos Swydd Amwythig,
i ddwyn gwartheg
ac i ail stocio hefo meirch
er mwyn diwallu gwanc penceirddiaid!

(... ond dyna wnâi fy hynafiaid ...)

Gwas: Syr, mae'r beirdd yma eto ...

Owain: Yndyn, m'wn,
yn mynd trwy funiau fy achau,
yn cuddio dan y gwlâu,
yn llech-hela fy llinach
o Fathrafal a Dinefwr i fan hyn,
ac yn dyrnu'r achau –
y blydi achau! –
i 'nghlustiau cyndyn;
dwi'n gwybod am gampau'r cyndadau tydw?!
achos fi ydi'u blydi mab nhw!

Gwas: Syr, mae'r beirdd yma eto ...

Owain: Duda mod i mewn cyfarfod;
duda mod i ar-lein hefo Hopcyn ap Tomos
yn trafod fy stoc ar farchnad y brut

(... a hwyrach y gwna'i – dwi'n sgut am frut ...)

Gwas: Syr, mae'r beirdd yma eto ...

Owain: Ie, ie,
yn darogan yn dragywydd,
ond mae isio rhywbeth amgenach na'u hawdl a chywydd;
'dan ni'n byw yn y bymthegfed ganrif
wedi'r cyfan
yn tydan?
A myn Duw, mi wn y daw
gwawl dig gweledigaeth newydd
i 'nghydwybod euog ...
ond pa bryd?

Gwas: Syr, mae'r beirdd yma eto ...

Owain: Duda 'mod i'n sgwennu at y Pab,

mod i ar ganol ailweirio
fy enaid i dderbyn Avignon!
(sydd ddim yn syniad mor wirion ...)

Gwas: Syr, mae'r beirdd yma eto ...

Owain: Eto, eto ac eto fyth ...
Be sy'n eu gyrru,
guerillas di-bennaeth ein hil,
sy'n cario ein cof
o lech i lwyn,
yn adrodd ein mythau
fel hen baderau,
yn darogan yn dragywydd ...

Gwas: Syr, mae'r beirdd yma eto ...

Owain: Duda 'mod i ar y ffordd allan.

Ond duda wrth Iolo
am roi 'nghywydd yn y popty
i'w gadw'n gynnes,
a rhoi corcyn yn yr awen
tan y naw 'ma, pan ddo'i nôl ...
a thra bod o'n disgwyl
caiff lunio englyn ...

a'r testun ydi Rhuthun ...

Gwas: Syr, mae'r beirdd yn deud
'bod nhw'n licio'r testun!

IapG

YR HÊN LŶS A'R
• CARCHAR •
ADEILADWYD, 1401
ADFERWYD, 1926

Y Crydd

Ymosododd Owain a'i luoedd ar dref Rhuthun, pencadlys yr Arglwydd Grey, ym mis Medi 1400, ar ôl iddo gael ei gyhoeddi yn dywysog Cymru yng Nglyndyfrdwy. Ymosododd, mae'n debyg, ar ddiwrnod marchnad. Bryd hynny, byddai'r Cymry yn cael eu gwahardd o'r dre ar ddiwrnodau arbennig. Ond mae'n ddigon hawdd meddwl y bydden nhw'n sleifio drwy'r pyrth er mwyn gwerthu eu cynnyrch. Ac mae'n siŵr bod perchnogion stondinau'r farchnad yn cwyno fel erioed.

Mae'r tywydd 'ma wedi newid:
bu'n ha' mwll a marwaidd,
terfysg yn drwm ar sgwyddau,

a dynion yn cwyno dan eu gwynt:
gefais i ddim llawer o fusnes,
y pobol o ffwrdd yn brin ar y strydoedd,

a'r gwres yn droednoeth yn y llwch:
y rhai sydd â'r hawl i gamu drwy'r porth,
yn treulio'u harian yn y dafarn,

a'r lleill sy'n sleifio i mewn
i hwrjio eu geifr a'u cynnyrch gwlad
yn gwario'u horiau'n y cysgodion:

ond yna dyna'r storm yn taro
yn saethau tanllyd a sêr yn syrthio,
a thwrw traed noeth fel gefynnau'n torri:

stondinau ar chwâl a llestri'n chwilfriw,
a chwrw'n gawodydd am ein pennau:
defaid a moch a chŵn yn 'mochel,

a cheiniogau'n clindarddach
dan garnau'r meirch:
ac wrth ei heglu hi o'r helynt

welais i mo'i wyneb,
yr un â'r ddraig ar ei galon,
ond wedi'r storm, fe fydd 'na fusnes,

a milwyr o ffwrdd a phres i'w wario,
a llwybrau mwdlyd, a nentydd i'w croesi:
mae'r tywydd 'ma wedi newid.

ILI

1401

'Yr Hydref hwn, a Gogledd Cymru i gyd a Cheredigion a Phowys yn ochri gydag ef, fe ymosododd Owain Glyndŵr yn ffyrnig ar y Saeson a drigai yn y parthau hynny â thân a chleddyf, ynghŷd â'u trefi ac yn enwedig tref Pool. Oherwydd hyn, goresgynnodd y Saeson y parthau hynny â nerth grymusol gan eu hanrheithio'n llwyr a'u difetha â thân, newyn a chleddyf a'u gadael yn ddiffeithwch heb arbed na phlentyn nac eglwys, na'r mynachdy yn Ystrad Fflur, lle lletyai'r brenin ei hun, a chadw eu ceffylau yn yr eglwys a'r gangell, hyd yn oed hyd at yr allor, a distrywio hyd yn oed blât y cymun; a chario i Loegr dros fil o blant o'r ddau ryw i fod yn weision iddynt. Ac eto fe wnaeth yr un Owain niwed nid bychan i'r Saeson, yn lladd llawer ohonynt, a mynd i ffwrdd ag arfau, ceffylau a gwersylloedd mab hynaf y brenin, tywysog Cymru, a llawer o'r arglwyddi eraill i wneud fel y mynnai â hwy yn llochesau mynyddig Eryri...'

(Addasiad o Gronicl Adam o Frynbuga)

Hyddgen

Mae hi'n hwyr, yn hwyr y dydd
A'r nos sy'n cau ei bysedd cudd
Ond mae rhyw flas ar fod yn rhydd
Ar rosydd Hyddgen heno;
Llafn y machlud ar ein dur,
Gwaed yr haul yn llygaid gwŷr,
Mae'r milwyr eto yn un mur
A'r meirch i gyd yn sgleinio.

Dyrnu'r drwm; chwythu'r bib;
Baner Owain ar y grib
Rhyddid nid yw'n seren wib:
Ymlaen i'r gad i Hyddgen;
Un cyfle fydd yn dod i'n rhan,
Hon yw'r awr a dyma'r fan
Ac nid oes yma galon wan,
Ymlaen, ymlaen i Hyddgen.

Ogla mwg sy'n ogla iach
Pan fo bod yn Gymro'n strach,
Nid ar wynt na chwara bach
Mae cyrraedd gwlad y galon;
Aeth gwreichion Medi'n fflama Mai,
Mae rhwysg y trefi heddiw'n llai
Ac mae 'na hefyd lai o dai
I'w rhannu rhwng y Saeson.

Crach y Ffinnant, dyn y sêr,
A bloda lond ei locsyn blêr
Sydd wedi gaddo, ac ym mêr
Ein hesgyrn, dan ni'n gwybod;
Dan ein draig, mae'r tir yn fryn,
Mae'n goelcerth ar y llethrau hyn
Ond ni sydd piau'r golau gwyn
A ni sydd piau'r diwrnod.

MapD
Alaw Wyddelig

Pladurwyr a Myfyrwyr

Roedd 'na filoedd o Gymry yn oes Glyndŵr, yr un fath â heddiw, yn gweithio yn Lloegr. Rhai yn cynaeafu ar ffermydd bras Henffordd, rhai yn mynd â gwartheg a defaid i'r marchnadoedd, a chriw go fawr yn fyfyrwyr yn Rhydychen. Mi ddaeth y rheini i gyd yn eu holau ar alwad eu Tywysog. Yr hyn oedd yn cynhyrfu llefnyn ifanc o Gymro yn yr oes honno oedd clywed hen ddaroganau, ac mae'n debyg bod beirdd a dynion hysbys yn cael eu gyrru yn ddirgel o Gymru, rhwng dau fustach, hwyrach, neu yn rhith dafad, i gorddi'r dyfroedd yn nhafarndai Rhydychen.

Myfyrwyr

Nos Sadwrn oedd hi yn y *Rose and Crown*,
A ninna heb symud ers canol pnawn.
Hogyn o Lyons, a hogyn o Lŷn,
A hogia Rhydychen i gyd yn gytûn,
Yn paldaruo am bob dim dan haul
Mewn Ffrangeg reit wallus a Lladin reit wael.

Ond yn y gongl lle bydd y cartodwyr yn hel,
Roedd 'na hen ŵr dewinaidd yn rhythu ers sbel.
A bob tro y trown i i sbïo draw,
Dyna lle'r oedd o fel cawod o law.
A thoc, mi gododd o'n hyll ac yn hy
A'r clogyn amdano fel cwmwl mawr du,

Ac mi ddôth yn syth ataf i, neno'r dyn,
A dweud: BE WYT TI'N DA 'MA, HOGYN O LŶN?
ONI CHLYWAIST TI HANES Y DDWY HEN DDRAIG
SY'N CHWIFIO MEWN OGOF O DAN Y GRAIG?
ONI WYDDOST TI, 'NGWAS-I, FOD POB DIM AR BEN,
OS NA FYDD Y DDRAIG GOCH YN LLADD Y DDRAIG WEN?

ONI WELI DI HYNT Y GWYNT A'R GLAW?
A lot fawr o betha od ar y naw.
Ond dyma 'na farman uffernol o flin
Yn hel y dyn allan efo cic yn ei din.
Ac allan es inna, a baglu yn chwil
Ar fy mhen i ganol rhyw bedair mil

O ddynion dewinaidd a meddwon fel fi
Ac allan drwy byrth Rhydychen â ni,
Yn borthmyn a chryddion a hogia pladur,
Yn ddynion llefrith, ac yn ddyn geiriadur
Milwr dwi rŵan. A Duw, dwi'n cael blas!
'Sgwn i sut hwyl gawn ni fory'n Bryn Glas?

TM

Dipyn o sbin

Dyw propaganda ddim yn beth newydd, a hyd yn oed yn ôl yn oes Glyndŵr, roedd y ddwy ochr yn trio'u gorau glas i droi'r ffeithiau i siwtio'u hunain. I'r Cymry, 'cannwyll brwydr' oedd Owain, ffigwr arwrol; i'r Saeson a groniclodd ei hanes, darlun tipyn mwy barbaraidd a geir. Ar ôl ei fuddugoliaeth fawr ym Mryn Glas, ychydig i'r de o Drefyclo, honnwyd i ferched y Cymry anffurfio cyrff y Saeson a laddwyd.

Un peth sy'n sicr; doedd rhyfel yr adeg honno ddim yn beth neis neis, mwy nag ydi o heddiw, er gwaethaf yr honiadau i'r gwrthwyneb adeg Rhyfel y Gwlff, gyda'r holl sôn am daflegrau 'deallus'. Os oedd Owain yn 'farbaraidd', roedd wedi cael athrawon da wrth ymladd ym myddin Lloegr yn yr Alban 1384-5 ac yn Fflandrys 1387.

Fel dywedodd Lou Reed, 'Paid â chredu hanner yr hyn rwyt ti'n ei glywed, a dim o'r hyn rwyt ti'n ei ddarllen...'

Propaganda
(Bryn Glas 22.6.1402)

bu farw'r gwir gyda saeth yn ei gefn;

roedd cannwyll brwydr yn llosgi bysedd
fel y gwnâi flynyddoedd ynghynt
wrth losgi hyd Caeredin
a rheibio Fflandrys
ond hyd yn oed chwe chanrif 'nôl
roedd problem gyda'r wasg
a dyma benawdau Brwydr Bryn Glas
'After the batayle ful schamefully
the Wallsch women
cutte of mennes membris
and put hem in here mouthis'

mae rhyfel yn lanach rŵan
a dynion wrth ddesg
yn rhoi presgripsiwn o fomiau
dair gwaith y dydd
'rôl bwyd nes clirio'r broblem
heb lanast heb waed

a dwi'n gwybod
achos wnes i gyfarfod â thaflegryn –
oedd o 'di picio mewn i'r pỳb
i holi'r ffordd orau at y burfa olew
a dechreuon ni siarad
mi gododd o rownd
mi godis i rownd
roedd o'n glên chwara teg
mi yfon ni tan un ar ddeg
a does rhyfedd iddo golli'i ffordd wedyn
a ffrwydro mewn 'sbyty plant

gweiddi gwaed
sgyrnygu ymysgaroedd
pregethu breuder popeth – ond
braw!
ond doedd dim sôn amdano
ar newyddion naw

a gweld
wrth gwrs
yw'r gwir;

a'r un yw'r hanes heddiw
a ninnau'n byw o hyd
ar ororau geirwiredd
gwlad arall...

IapG

Gwylanod

Rhwng 1400 a 1404 sgubodd Glyndŵr drwy Gymru benbaladr. Cipiwyd cestyll Conwy, Harlech ac Aberystwyth a chafwyd buddugoliaethau enwog yn Hyddgen a Bryn Glas. Am y tro cyntaf ers dyddiau y Llyw Olaf, roedd baneri'r Cymry yn chwifio'n falch o bennau'r tyrau.

Doedd dim ond craig yma
pan godai ein cyndeidiau
ar lethrau'r gwynt;
craig a Phumlumon ar y gorwel
yn cadw'r ffin:

yna yn nannedd y môr
codwyd muriau,
a ninnau'n eu hwylfyrddio
gan sgrechian drwy'r agennau
a herio'r saethau:

gyda'r blynyddoedd
aeth y gaer yn un â'r graig:
chwaraeai'r tonnau
â'i hymylon caregog
a ninnau'n nythu yn y tyrau noeth,

a'i heglu hi weithiau
pan ddeuai'r milwyr llwglyd
ar eu hald:
yna'n ddirybudd
fe'n hysgydwyd ni a'n poenydwyr o'n hepian

gan glochdar arfau a charnau meirch:
am chwe mis 'chawsom ni ddim clwydo,
a'r peiriannau'n diasbedain
a'r gwaywffyn yn fflam:
yna, a thonnau'r gaeaf

yn dringo Pendinas
gostegodd y storm:
mae'r tyrau'n aros ar y graig arw,
ond cawn nythu'n y gwanwyn
dan faneri newydd.

ILl

Hogia Owain

gan Dylan, Owen a Robert o Ysgol Treferthyr, Cricieth

Ym 1404, mi ymosododd Glyndŵr ar gastell Caernarfon, ond roedd y muriau'n rhy gadarn i neb eu chwalu cyn oes y gwn. A dyma'r hogiau'n dod yn gandryll o'u coeau i Eifionydd, gan losgi tai bradwyr ar eu hynt.

Hogia Owain ydan ni,
Yn chwarae ffwtbol heb reffarî.
Chwarae pêl efo pennau Saeson,
Chwalu eu cestyll nhw yn deilchion.
Chwipio'r diawliaid ar bob boch!
Cricieth sy nesa ar y rhestr goch.
Ac mae'n sbei ni wedi dweud
Yn union be sy'n rhaid ei wneud:
Mynd fel tarw i ben y graig,
Tynnu'r llew, a chodi'r ddraig.
Hel y milwr oddi ar y tŵr
I swalpio'n wirion yn y dŵr.
A milwr arall ar y llawr
Yn llawn o saethau fel draenog mawr.
Chwythu'r cyrn, a churo'r drwm,
Rhyddhau y carcharorion llwm,
Malu'r drysau'n siwrwd mân
A rhoi'r cwbwl lot ar dân!

Tua'r Senedd

Yn ystod 1404, cynhaliodd Glyndŵr ei senedd gyntaf ym Machynlleth, ac yno teithiai pedwar cynrychiolydd o bob cwmwd yn y Gymru oedd dan reolaeth Owain. Yno hefyd daeth llysgenhadon o wledydd fel Ffrainc a'r Alban, ac mae'n siŵr bod y cyfan yn olygfa i'w chofio. Ond mae'n siŵr bod teithiau'r pedwarawdau o bob cwr i Fachynlleth yn deithiau i'w cofio hefyd. Dychmygwch daith cynrychiolwyr cwmwd Llanllechid yn y gogledd pell, trwy fylchau Eryri a thros fawnog Meirionnydd pan nad oedd cob ym Mhorthmadog nac A470!

Fe ddois o gadernid
hen gwmwd Llanllechid,
a'r gwrychoedd dan wyddfid
a'r llechi'n las
ar lethrau Braichmelyn
a Llidiartygwenyn,
a'r Ogwen drwy'r rhedyn
yn rhedeg ei ras:

gadael lloches Eryri
a chreigiau'r Carneddi,
dilyn bwlch drwy'r clogwyni
i gyfeiriad y traeth,
yn bedwar yn cychwyn
drwy goed Aberglaslyn,
pedwar cennad yn disgyn
cyn sicred â saeth:

tros fawnog Trawsfynydd,
a gelltydd Meirionnydd,
nes croesi i'r wlad newydd
a'r Ddyfi'n ei hwyl:
mae yma lysgenhadon
o Ffrainc a'r Iwerddon
yn cyflwyno'u llawroddion
ac yn cadw gŵyl:

helm a chleddyf i'r arglwydd,
a dwyfronneg ysblennydd,
a'r hen wlad gyda'r gwledydd
yn rhodio yn rhydd,
a chanddom ni'n pedwar
fe gaiff gwmni digymar
a llechen lân, lafar
o Gae-llwyn-grydd.

ILI

Plas-yn-dre, hen senedd-dy Owain Glyndŵr yn Nolgellau. Arferai sefyll ynghanol y dref ar safle presennol siop T.H. Roberts, *Parliament House Ironmongers*, gyferbyn â thafarn y *Ship*. Dymchwelwyd yr hen adeilad a'i ddanfon ar drên i'r Drenewydd yn 1885 ac fe'i ailgodwyd ar diroedd Dolerw ym mhentref Llanllwchaian.

(Llun: drwy garedigrwydd Archifdy Meirion, Dolgellau)

Llythyr at Bennaeth o Wyddel

Tachwedd 29, 1401

Iechyd, O Arswydus Arglwydd a Brawd cywir! Dyma roi gwybod ichi fod 'na goblyn o ryfel wedi codi rhyngom a'n gelyn mawr, y Sais. Rydym yn ymladd yn wrol bellach ers bron i ddwy flynedd. Ac rydym yn llawn obeithio, drwy ras Duw, a gyda'ch cymorth chi, yr enillwn ni. Ond mae hen ddarogan na chariwn ni mo'r dydd, nes y byddwch chi a'ch pobl yn estyn llaw i'n helpu. Felly, Arswydus Arglwydd, a Brawd cywir, ar ran ein pobl ni, sydd ers cyhyd o dan ormes ein gelyn ni, sydd yn elyn i chithau hefyd, dyma ymbil arnoch chi yrru hynny fedrwch chi o farchogion a milwyr traed. A da chi, peidiwch ag oedi, yn enw'r cariad mawr sy gennym tuag atoch chi, er nad ydych yn ein nabod ni. Achos, tra byddwn ni'n ymladd y rhyfel hwn ar ein gororau, mi gewch chi, a holl Benaethiaid eraill Iwerddon, lonydd a heddwch. Hir oes ichi, O Arswydus Arglwydd, a Brawd. *Is mise,* Now.

Llythyr Dolgellau 13 Mai, 1404

Mae'r ddogfen hon, a yrrwyd at Siarl VI, brenin Ffrainc yn un ddadlennol ac yn rhoi cip ar weledigaeth Owain Glyndŵr ar gyfer dyfodol ei wlad:

> (Fy mwriad) yw gwaredu'r bobl Gymreig o gaethiwed ein gelynion Seisnig sydd wedi ein gormesu ni a'n hynafiaid am amser hir...
>
> Mae fy nghenedl wedi... ei sathru dan draed gan gynddaredd y Saeson barbaraidd?
>
> Owain, trwy ras Duw, Tywysog Cymru

Canlyniad i'r llythyr hwn oedd cyfamod ffurfiol rhwng Ffrainc a Chymru ac un ymateb uniongyrchol i'r cytundeb hwnnw oedd i lynges Ffrengig yn cario 2,600 o filwyr a chyflenwad o arfau hwylio o Brest i Gymru yng Ngorffennaf, 1405. Ymunodd y fintai hon gyda byddin o 10,000 o wŷr Owain gan ennill yr holl diroedd hyd at Gaerwrangon.

Llythyr Pennal 31 Mawrth, 1406

Mae'r llythyrau hyn hefyd yn cyfeirio at ormes y 'Sacsoniaid barbaraidd' a gredent 'am fod ganddynt lywodraeth drosom... yr oedd yn ymddangos yn rhesymol iddynt ein sathru dan draed'.

Mae yma hefyd hyder wrth gyflwyno rhaglen a fyddai'n datblygu Cymru i fod yn wlad fodern o fewn cymdeithas o wledydd eraill. Bydd ganddi ei heglwys annibynnol ei hun, gyda chadeirlan Tyddewi yn cael ei hadfer i'w hurddas gynhenid fel y bu o amser Dewi Sant; bydd ganddi ei system addysg a'i phrifysgolion ei hun; bydd llywodraeth fydd yn cael ei rheoli gan senedd gyda chynrychiolaeth o bob cwmwd yng Nghymru ynddo; bydd y Gymraeg yn iaith eglwys a llywodraeth unwaith eto.

Dyma'r weledigaeth sydd wedi bod yn rhan o wleidyddiaeth Cymru o ddyddiau'r wrthryfel hyd ein dyddiau ni.

Cynulliad Cymreig 1406, Aneurin Jones; drwy ganiatâd Eglwys Pennal.

Y Llysgenhadon

Mae'r negeseuwyr wedi mynd ers wythnos i lysoedd Ffrainc a Sbaen a'r Alban, a dyma'r llysgenhadon brenhinol yn dod yn orchest i gyd i gadw Senedd Cymru, ac i gydnabod ei sofraniaeth hi. Am weld Lloegr yn cael torri ei chrib maen nhw, a dweud y gwir.

Maen nhw'n cyrraedd ar ryw ddiwrnod o wynt a phiglaw, ond mae eu rhodres a'u rhwysg yn rhyfeddod. Dacw eu tair llong, yn grandiach o lawer na hen longau blêr di-lol Owain, yn dod yn rhes i fyny'r afon i lanio yn y Dderwen Las, a'u tyrau nhw'n wrychoedd o wŷr arfog, a llewod Ffrainc a'r Alban, a choronau Sbaen yn llachar ar eu hwyliau sgwâr. Mae'r utgyrn a'r drymiau'n eu croesawu. A dyna nhw o flaen Glyndŵr, a hwnnw yn dal yn ei wisg ryfel, yn moesymgrymu yn bluog a chlogynllaes, yn cyfarch gwell iddo'n findlws.

Ac am rai diwrnodau, mae rhyfeddu mawr ym Machynlleth at y cenhadon lliwgar a'u gweision. Welodd y dre erioed y fath sbloet o felfed, a sidan, a brodwaith a phlu, a phob lifrai mor llachar yn y dyffryn llwydwyrdd â deryn o wlad arall. Mae'r werin yn eu llygadu nhw fel petaen nhw wedi disgyn o Lyfr Cels, a nhwythau'n cerdded yn ffill-ffall drwy'r baw a'r dŵr, gan lapio'u clogynau'n dynn amdanyn', heb droi'r un blewyn. Bob nos, bydd 'na olau yn hwyr yn Tŷ Mawr, lle mae Glyndŵr a'i gynghorwyr yn rhoi gerbron y llysgenhadon eu cynlluniau mawr ynglŷn â Chymru rydd a'i lle hi ymysg y gwledydd.

(Jan Morris; cyfieithiad TM)

Iaith y Groes

Ar ôl cynnal seneddau ym Machynlleth a Harlech, aeth Glyndŵr ati i lunio ei weledigaeth ar gyfer ei Gymru newydd. Mewn llythyr at frenin Ffrainc a yrrwyd o Bennal ger Machynlleth ar 31 Mawrth, 1406, mae Glyndŵr yn gosod ei dywysogaeth yng nghanol llif Ewropeaidd y cyfnod. Mae'n datgan ei ffyddlondeb i Bab Avignon, yn datgan bwriad i sefydlu dau brifysgol yng Nghymru, un yn y de a'r llall yn y gogledd, ac i sefydlu eglwys genedlaethol wedi ei seilio ar Dyddewi. A'i nod trwy wneud hynny oedd adfer hen ogoniant Cymru cyn y goncwest.

... Ac fe hawliwn iaith Duw fel cyfalaf,
a'i lais fel gwydr lliw yn ein heglwysi,
gyrru ach rhyngom ni a'r Goruchaf,
ac o'r diwedd gwireddu gair Dewi;
fraich ym mraich codi baich y rhai bychain
dan epistol daearol gwlad arall,
troi ein hanes a'n tir ni ein hunain
yn bair o greu a dyheu a deall:
hawliwn hyn fel cenedl a'n henwau
wedi eu torri'n y meini a'r mynydd,
a haul Ebrill yn ddiogel ei lwybrau
yn ein dwyn ni ar siwrne i wlad newydd:
gwnawn hyn â sêl tywysogion a saint
y Gymru a gollwyd, dyna'n breuddwyd a'n braint.

Pennal
31 Mawrth 1406

ILl

Sycharth

Roedd cenfigen a dialedd yn elfennau amlwg yn y gwrthryfel. Yn Hydref 1399, roedd Prince Hal, mab y brenin Harri o Loegr wedi'i gyhoeddi yn *'Prince of Wales'* yn Llundain ac yntau'n llefnyn deuddeg oed. Lai na blwyddyn yn ddiweddarach, cyhoeddwyd Owain yn Dywysog Cymru gan ei bobl ei hun, a chadarnhawyd hynny'n ddiweddarach gan senedd Gymreig gyda chynrychiolaeth o bob cwmwd o'r wlad.

Er bod llenyddiaeth y corff diddorol hwnnw, Cadw, yn mynnu cyfeirio at Owain fel y *'self-proclaimed Prince of Wales,'* doedd dim amheuaeth pa un oedd y tywysog drama yn ystod y cyfnod hwnnw. Mae mwy na chyrch milwrol y tu ôl i ymosodiad Prince Hal ar ddau gartref Owain yn Sycharth a Glyndyfrdwy ym Mai 1403. Nid difa a dwyn yn unig a wnaed yno ond dinistrio'r ddau adeilad fel nad oedd carreg ar garreg ohonynt yn sefyll. Pan wnaed gwaith ymchwil archaeolegol ar safle Sycharth yn nyffryn Cynllaith, ger Llansilin, yn ystod y 1960au, doedd dim heblaw lludw i'w ganfod yno, fwy neu lai.

Darlun gwahanol iawn sydd yng nghywydd enwog Iolo Goch i lys Sycharth yn y 1380au. 'Lle daw beirdd aml, lle da byd' medd Iolo amdano. Ac yn wir, yn ôl dadansoddiad yr hanesydd John Davies yn ei gyfrol *Hanes Cymru,* mae'r unig ddarganfyddiad archaeolegol o werth ar safle Sycharth yn cadarnhau'r lletygarwch a ddisgrifiai Iolo. Mewn un adeilad bach o'r neilltu, canfyddwyd lefel uchel o ffosffad yn y pridd a dyma ddod i'r casgliad mai dyma'n union oedd yr adeilad bychan hwn, sef tŷ bach. Tŷ bach y beirdd a'r gloddestwyr eraill, ac yn ôl John Davies: 'dyma dystiolaeth am ganlyniadau'r torri syched a fu yn Sycharth'.

Anfynych iawn fu yno
Weled na chliced na chlo,
Na phorthoriaeth ni wnaeth neb,
Ni bydd eisiau budd oseb,
Na gwall, na newyn, na gwarth,
Na syched fyth yn Sycharth.

Bwriad Prins Hal oedd rhoi pen ar hynny am byth a dim ond yn ddiweddar iawn y mae'r cyhoedd wedi llwyddo i gael yr hawl i ddychwelyd i ymweld â'r safle 'ar dop bryn glas'.

Llosgi Sycharth

(gan Harri, mab brenin Lloegr yn 1403)

'Lle dôi beirdd aml; lle da byd;' – Iolo Goch

Daeth i Sycharth
ac arno syched.

Mentrodd ei gilomedr dros y ffin,
croesodd ddŵr Cynllaith heb oeri'i dymer,
cododd bentewyn o'r efail
a dringodd y bryn glas.

Pan gafodd glo a chliced
a thywysog Cymru i ffwrdd gyda'i werin,
ffaglodd y cyplau a'r capel,
y tai pren glân a'r gangell aur;
trodd y naw neuadd yn un simnai.

Arhosodd am glec y gwydrau lliw,
oedodd nes cwympodd y llofftydd;
daliodd ei dir nes cododd y mwg olaf o'r lludw
gyda tharth y Berwyn.

A phan ledodd ei wên felen,
tybiodd na ddôi beirdd aml yno mwy.

MapD

Llosgi dau dŷ arall

Lladdwyd Ieuan ap Maredudd, uchelwr o Eifionydd, tra oedd yn amddiffyn castell Caernarfon ar ran y brenin yn Nhachwedd 1403. Llosgwyd ei ddau blasty, Cefn y Fan a'r Gesail Gyfarch yn lludw oer gan Glyndŵr. Yn ôl traddodiad lleol, bu adfeilion Cefn y Fan yn mygu am flwyddyn a diwrnod ac mae'r cae lle safai'r plasty yn cael ei alw'n Cae Murpoeth o hyd. Roedd dial ar fradwyr a chefnogwyr y gelyn yn elfen amlwg o'r rhyfeloedd gyda difrod helaeth yn cael ei wneud drwy Gymru gyfan.

Ar ôl i fyddin y brenin wastrodi Nantconwy, bu'r lle'n llwm am flynyddoedd – tyfai glaswellt ar fryn y farchnad yn Llanrwst a deuai'r ceirw o Eryri i bori yn y fynwent. Llosgodd Glyndŵr drefi a phentrefi cyfan yn yr un modd – ond nid difrod hollol ddi-reol oedd o chwaith. Arbedwyd tai ac eiddo cefnogwyr yn y trefi. Pan losgodd Owain a'i gefnogwyr Gaerdydd i'r llawr, arbedwyd un stryd – yno y trigai brodyr Urdd San Ffransis a oedd yn gefnogol i'r gwrthryfel.

Dafydd Gam

A dyna gorrach o ddirprwy yn dod ar garlam o'r dwyrain, a dynion bwa mawr o Went yn ei hebrwng. A hyd yn oed yng nghanol y cwmpeini rhyfedd hwnnw, mae'r dyn ar ben ei hun o hyll. Ond mae clyfrwch lond ei wyneb, a'i lygaid yn gweld pob dim. Ac mae pawb yn nodi bod y cewri o ddynion bwa'n ufuddhau iddo ym mhob peth. Ychydig o neb sy'n gwybod mai Dafydd ap Llywelyn ap Hywel o Frycheiniog ydi o: sef Dafydd Gam, milwr, llofrudd, dyn mawr yn ei wlad ei hun, a dyn teyrngar hyd farw i goron Lloegr.

A dyna ddau o wŷr Glyndŵr yn carlamu i'w gwfwrdd, gan foesymgrymu yn eu cyfrwyau, a throi i'w ddanfon at y Tŷ Mawr. Ond does dim cyfarch gwell. Ac mae rhyw ias yn mynd drwy'r dyrfa fel y daw'r fintai fechan i lawr y stryd fawr. Mae'r merched yn eu ffenestri yn sbecian yn fud. Mae'r hogiau yn nrysau'r tafarndai yn gwylio heb air. Mae Dafydd Gam yn sbïo i'r dde ac yn sbïo i'r chwith yn jiarff i gyd. A dyma nhw at ddrws y Tŷ Mawr. Mae'r gwarchodwyr yn saliwtio. Mae'r gweision yn dod ar frys i helpu'r dyn oddi ar ei geffyl. Mae'r osgordd nwythau'n disgyn... Ond cyn iddyn nhw gyrraedd y trothwy, dyma ddwsin o hogiau Glyndŵr yn rhuthro draw, ac yn cythru yn Dafydd a'i wŷr, ac yn eu hel nhw drwy'r drws, a'u breichiau tu ôl i'w cefnau. A dyna haflig o hogiau bach yn ei gluo hi o'no i ddweud yr hanes. A chyn iddi nosi ym Machynlleth, mae pawb yn gwybod fod Dafydd Gam o Frycheiniog yn garcharor i Glyndŵr.

Mae rhyw achlust ar led mai dod wnaeth o i ladd y Tywysog yn enw Brenin Lloegr. Ac mae sôn yn y tafarndai fod Glyndŵr wedi dweud ar ei beth mawr, ac yng ngŵydd Rhys Gethin, na fydd dim o etifeddiaeth Dafydd Gam ar ôl nag ar fap nag ar go'. Ac mae 'na adrodd garw ar bennill bach, o waith y Tywysog ei hun, meddan nhw:

Os daw mymryn o gochyn – o'i go'
Am na wêl y wal fu'n dal ei do,
Na chaeau na llys, na chi, na llo,
Na chywyddwyr, gofynnwch iddo:
Oni welwch y llwch yn lluwchio – draw?
Chwiliwch y baw am eich wal chi, boio!

(Jan Morris; cyfieithiad TM)

Baneri

Yn Awst 1405, glaniodd llu o ryw 2,500 o Ffrancwyr yn Aberdaugleddau i gynorthwyo ymgyrch Glyndŵr. Cawsant beth llwyddiant yn sir Benfro a de-orllewin Cymru, ac mae un hanes yn dweud eu bod wedi gorymdeithio cyn belled â Chaerwrangon. Am gyfnod rhoesant hyder i'r Cymry, ond erbyn hydref 1406, roedden nhw i gyd wedi dychwelyd i Ffrainc.

Trigain o longau dan faneri:
ystyria lili'r maes
llynges fel angyles i'n gwaredu:
pa fodd y mae hi'n tyfu
wedi eu gwisgo fel Solomon yn ei ogoniant:
gwywa y gwelltyn, syrth y blodeuyn
a'u hacenion fel beirdd yn cynganeddu:
nid yw hi'n llafurio nac yn nyddu
a ninnau fel concwerwyr:
digon i'r diwrnod ei ddrwg ei hun
yn llachar yn cyrchu Lloegr ...
dyddiau dyn sydd fel glaswelltyn.

ILI

Brain

Yn Chwefror 1409, ar ôl gwarchae hir a chaled, cipiodd llu enfawr y tywysog Harri gastell Harlech, cadarnle olaf Glyndŵr a'i deulu. Lladdwyd ei fab yng nghyfraith, Edmund Mortimer, yn ystod y gwarchae, a phan gipiwyd y castell, cipiwyd Marged, gwraig Owain, ei ddwy ferch, a thair wyres hefyd. Yr oedd Glyndŵr ar ei ben ei hun bellach, yn dibynnu ar loches perthnasau a chyfeillion.

Chwech yn Harlech yn berlau
llachar, nes i garchar gau
ei ddwrn am ein garddyrnau;

o rywle mae marwolaeth
yn dod ar ras fel dŵr ar draeth
a'i lanw o elyniaeth,

a ninnau yma'n hunain,
heb fur, heb oreuwyr, fel brain
a gwaed ar big ac adain,

yn clwydo mewn caledi
yn y tyrau a'r gwteri,
a neb i'n hamddiffyn ni:

cwfaint o frain yn cofio
rhyddid aur ei freuddwyd o
fel ddoe, cyn i ryfel dduo

'r gorwel, a llongau'r gelyn
a'u harfau'n cadw'r terfyn
yn gadwynau hwyliau'n fan hyn,

a chau y brain yn chwe Branwen
yn y tŵr heb herwr, heb Ben,
yn adar mud, di-ddrudwen.

ILl

'Does neb yn gwybod am ba hyd y bu Owain ar herw. Gwrthododd bob cynnig o faddeuant a chymod gan y brenin. Mae yna nifer fawr o chwedlau yn sôn am ei guddfannau ar hyd a lled Cymru ac am ei anturiaethau yn dianc rhag y Saeson ac yn twyllo ei erlidwyr. Ond mae siŵr bod hwn yn gyfnod anodd ac unig i Owain, a oedd mor gyfarwydd â chwmni a chyfeddach cyfeillion a beirdd.

Ar herw

O'r de dros rosdir diarth – anelai
a'r cŵn hela'n cyfarth,
a thrwy'r gwyll tywyll a'r tarth
dyma syched am Sycharth:

âi'r lôn fel y cythrel heno – i'r diawl,
drwy dalaith ddigroeso
y glaw oer, nes gwelai o
sêr unig cysur yno:

sêr niwlog y siwrne olaf – o'r de,
drwy dywydd, drwy aeaf,
a'r brigau ar gloddiau'n glaf
yn aros y nos nesaf:

niwl oer ddoi'n ôl i aros, – niwl unig
creulonach na'r cyfnos,
niwl anial gwely unnos,
herwr a'i niwl hanner nos,

a'i syched am gwrw Sycharth, – am feirdd
am fyrddau, am fuarth;
er y gwynt estron o'r garth
daw hebog drwy'r deheubarth.

ILl

Taid

Mae 'na rai yn sôn bod Owain wedi marw ar herw, yn unig ac aflonydd. Ond mae hanes arall yn mynnu ei fod wedi treulio ei flynyddoedd olaf yng nghartref ei ferch dros y ffin ger Henffordd. Ac mae'n hawdd dychmygu yr hen ŵr yno, yn anwybyddu'r swyddogion a alwai heibio, yn hel atgofion ac yn diddanu ei wyrion gyda hanesion yr hen ddyddiau.

'Mae'r helmed hon yn drom, Taid,
mae'n rhaid bod eich pen yn galed a'ch sgwyddau'n llydan:
a phwy fu'n pwytho y faner, Taid?

yn trwsio rhwygiadau'r blynyddoedd
a gwau arian yn nhân y ddraig:
lle gawsoch chi dolc yn y darian, Taid?

a fyddwch chi'n deffro yn chwys oer weithiau,
yn cofio gwaywffon yn hollti,
neu sŵn saeth yn sibrwd wrth drywanu'r awel?

ai dyna pam 'dach chi'n methu cysgu?
a ga'i chwarae â'ch cleddyf, Taid,
ei chodi'n uchel a chyhoeddi heddwch?'

'faint yw eich hoed chi heddiw Taid,
a'r bobol o bell yn dwyn cardiau a chyfarchion?'

'Dwi'n rhy hen, fachgen, i orchymyn, paid!

os llwyddi di ei thynnu o'i gwain ystyfnig
fe gei di gyhoeddi llond gwlad o heddwch
a llunio o'r newydd dy genedl dy hunan.'

ILI

Cadw

Ar Galendr 2000 Cadw – y corff sydd i fod i ddiogelu adeiladau a safleoedd o werth hanesyddol yng Nghymru – roedd tri ar ddeg o luniau lliw. Nid oedd yr un o'r lluniau hynny'n cyfeirio o gwbl at unrhyw safle sy'n berthnasol i Owain Glyndŵr, er mai honno oedd blwyddyn fawr dathliad dechrau'r wrthryfel. Yn y calendr hefyd mae digon o gyfeiriadau at *'Edward I ... and his eventual conquest of north Wales.'*

Mae hyn yn nodweddiadol o'r corff hwn sy'n mynnu rhoi ei holl bwyslais ar un agwedd o hanes Cymru. O ddarllen llenyddiaeth Cadw, byddai rhywun yn meddwl mai gwlad wedi'i gorchfygu saith can-mlynedd yn ôl ydi Cymru ac mai dyna a setlodd ein tynged unwaith ac am byth. Mae eu pwyslais i gyd ar bropaganda'r cestyll heb gydnabod mai symbol o fethiant y gormeswr i droi Cymru'n ardd gefn i Loegr ydyn nhw wedi'r cwbwl. Erbyn heddiw, mae agenda Glyndŵr a'i weledigaeth ef am Gymru fodern yn llawer mwy perthnasol na chŵn gwarchod llonydd Edward.

Mae'r Gymraeg yn ôl ar y strydoedd a ni piau'r trefi a fu'n llochesu byddinoedd estron yn yr hen ddyddiau. Mae nifer o fannau yng Nghymru sy'n bwysig i stori ein parhad a'n goroesiad ni, ond nid oes yr un arwydd, yr un plac, yr un cofeb na chanolfan ddehogli yn y mannau hynny. Mae Cadw yn cadw draw oddi wrth ein hanes ni.

Pwy sy'n cadw ... ?

Mae olion cyfnod Glyndŵr i'w gweld ar hyd ac ar led y wlad – ond dim ond rhai ohonyn nhw sy'n cael eu 'cadw' yn swyddogol, a chan amlaf, symbolau o fethiant ei wrthryfel yw'r rheini. Pwy sy'n penderfynu yr hyn sydd i'w gadw a'r hyn sydd i'w anghofio?

Pwy sy'n cadw Harlech? ai Brân
yn gwylio o graig y wylan,
neu gorrach yn graig o arian?

Pwy sy'n cadw Hyddgen? ai'r gwynt
a'i ddialedd a'i helynt,
neu wellt heb hawl ar ei hynt?

Pwy sy'n cadw Aberystwyth? y môr
a'i dwymyn yn ddi-dymor,
ar ruthr fel hen grythor.

Pwy sy'n cadw Conwy? ai hen wŷr
yn diawlio yn eu dolur
y maen a dreiglodd o'r mur?

Pwy sy'n cadw Bryn Glas – a'r ffin?
yno'n herio mae gwerin
a'u beddau'n fwy na byddin.

ILI

Nid eu hanes nhw yw fy stori i

'that unconquerable race' – Churchill am y Cymry
(Cân)

Maen nhw'n sôn am Goncwest yn 1282
Fel 'tae 'na ddim Cymru na Chymraeg 'di parhau;
Maen nhw'n sôn am gestyll a phyrth wedi cau:
Nid eu hanes nhw yw fy stori i.

Maen nhw'n sôn am Edward, Harri a John
Fel 'tae 'rioed dywysog gan y genedl hon;
Maen nhw'n sôn am gadw ond mae'u Cadw nhw'n con:
Nid eu hanes nhw yw fy stori i.

Maen nhw'n cadw ein hanes rhag cerdded y tir,
Maen nhw'n mwmian nad ydi'r holl ffeithiau yn glir,
Maen nhw'n dewis eu celwydd a'i alw fo'n wir,
Ond ni piau'r dre erbyn hyn.

Maen nhw'n sôn am fyddinoedd a thaliadau brad
A chymaint fu'r gost er mwyn sathru gwlad
Fel 'tae Llywelyn o Gaeo 'di rhoi'i fywyd yn rhad:
Nid eu hanes nhw yw fy stori i.

Llywelyn o Gaeo
A safodd fel Cymro
A'i angau yn sioe i ddiddanu
Y brenin Harri
Yn Llanymddyfri:
Mi gofiaf ei stori, a'i chanu.

Maen nhw'n codi pob carreg, yn adfer pob tŵr,
Yn twchu'r holl waliau, dyfnhau'r ffosydd dŵr
Ac yn llnau yr huddyg ar ôl Glyndŵr:
Nid eu hanes nhw yw pwy ydw i.

Owain ap Gruffudd
Yn Harlech, Meirionnydd
A'i galwodd hi'n wlad, a rhannu
Fflam ei ddelfrydau
Gyda'r holl gymydau:
Mi gofiaf ei stori, a'i chanu.

Maen nhw'n cadw ein hanes rhag cerdded y tir,
Maen nhw'n mwmian nad ydi'r holl ffeithiau yn glir,
Maen nhw'n dewis eu celwydd a'i alw fo'n wir,
Ond ni piau'r dre erbyn hyn.

Geiriau: MapD
Alaw: GL

Cyn codi cŵn Caer

Pan gariwyd y Pla Du gan chwain llygod mawr i ynysoedd Prydain yng nghanol y bedwaredd ganrif ar ddeg, collwyd rhwng traean a hanner y boblogaeth a chwalwyd yr hen drefn gymdeithasol. Yn lle clymu eu hunian wrth arglwydd a thir, manteisiodd miloedd ar y cyfleoedd newydd i symud i drefi, gan ateb y galw am lafur a chwilio am fywoliaeth well yr un pryd.

Cafodd y Cymry hefyd eu denu fwyfwy gan fywyd trefol ac erbyn diwedd y ganrif roedd rhai trefi fel Nefyn, Pwllheli, Niwbwrch a'r Bala i bob pwrpas yn hollol Gymreig. Roedd y deddfau cosb Edwardaidd yn dal i wahardd y Cymry rhag mudo i'r bwrdeistrefi Seisnig yng Nghymru (er i lawer lwyddo i fynd i'r rheiny hefyd ar yr amod eu bod yn 'hogia da') ond nid oedd dim yn rhwystro'r Cymry rhag symud i drefi yn Lloegr. Aethant yn finteioedd i Gaer, Croesoswallt, yr Amwythig, Llwydlo, Henffordd a Bryste gan fachu gwaith fel siopwyr a marchnatwyr neu bladurwyr a llafurwyr yn y manoriaid Seisnig yn y wlad o gwmpas. Erbyn cyfnod Glyndŵr felly, roedd presenoldeb Cymreig gref ym mhob un o drefi Seisnig y gororau.

Pan gododd Owain ei faner, aeth Saeson y trefi hyn yn nerfus iawn. Pasiwyd y deddfau penyd ac estynnwyd y gwaharddiad ar y Cymry i gynnwys trefi Seisnig yn ogystal â bwrdeistrefi Seisnig yng Nghymru. Cawsant eu troi am adref yn ddiseremoni ac os canfyddid Cymro neu Gymraes o fewn eu muriau wedi machlud a chyn toriad gwawr, roedd y person i'w ddienyddio.

Mae'r hen ddeddf hon dal yn sefyll yn ninas Caer hyd heddiw. Mae'r dywediad 'codi cyn cŵn Caer' yn cyfeirio at y cyfnod hwn mae'n debyg – os byddai Cymro neu Gymraes yn treulio'r nos yn y ddinas, byddai rhaid iddo godi cyn y cŵn er mwyn dianc oddi yno yn ddiogel.

Syched am Sycharth

(cân)

Yr un yw'r syched sy'n llosgi'r tir,
Yr un yw oriau yr aros hir:
Dan ni'n dal i yfed y breuddwydion cry
O'r gasgen dan arwydd y Llew Du.

> Pan fydd y cŵn wrth ein sodlau yn cyfarth
> A phlant Owain
> Yn griwiau bychain,
> Mae 'na syched o hyd – syched am Sycharth.

Maen nhw'n sgubo'r brotest oddi ar y stryd,
Ein cau ni allan o'r cestyll o hyd,
Chawn ni ddim trigo yn y tai yn ein tir;
Maen nhw'n diffodd ein meic pan ganwn ni'r gwir.

Mae rhai'n Whitehall, mae rhai 'Nghaerdydd
Yn hawlio'n bod ni'n ddigon rhydd
Ond pwy all fyw efo sarhad
Yr hanner iaith a'r hanner gwlad?

Dan ni'n dal i lyfu gwefusau hallt
A dal i ddyheu am yr hen, hen ddallt
Pan oedd mellt rhwng y sêr a'r storm yn ei bri
A'r dynion gwellt yn mynd efo'r lli.

Geiriau: MapD
Alaw: GL

'You're Not From These Parts?'

Mae 'na ddau fap o hyd yng Nghymru. Mae nhw'n rhan o'n cefndir a'n diwylliant ni. Weithiau 'does dim rhaid torri gair ond mae'r cysylltiad yn amlwg. Ac nid ydi pawb yn ymwybodol o ddyfnder a manylder y mapiau yma.

Na, dydw i ddim, dwi'n dod o dalaith
ymhell i'r gogledd, a fu'n deyrnas unwaith,
'dwi'm yn medru'r acen na'r dafodiaith,
ond pan ddoi'n ôl i'r fro 'ma eilwaith
yn deithiwr diarth, yn dderyn drycin
a sgubwyd gan y storm, neu fel pererin
yn dilyn y llwybrau o Bonterwyd i Bontrhydfendigaid
fe gerddaf yn hyderus, a golwg hynafiaid
yn cyfeirio fy nhaith, yn llewyrch i'm llygaid;
achos mae pob taith eilwaith yn gwlwm
â'r ddoe sy'n ddechreuad, â 'fory ers talwm,
ac yn y distawrwydd rhwng dau hen gymeriad
ar gornel y bar, mae 'na filoedd yn siarad
am ffeiriau a chyrddau a chweryl a chariad,
am fyd fel yr oedd hi, am y gweddill sy'n dwad:
na, dydw i ddim o'r ardal, ond fe fedra'i glywed
clec sodlau y beirdd wrth iddyn nhw gerdded
o noddwr i noddwr, o gwmwd i gantref
cyn dianc rhag Eiddig ar hyd ffordd arall adref:
bûm foda, bûm farcud, yn brin ond yn beryg,
bûm dlws, bûm Daliesin, bûm yn crwydro Rhos Helyg,
bûm garw, bûm gorrach, bûm yma yn niwyg
pregethwr, tafarnwr, breuddwydiwr a bardd,
na, dydw i ddim yn lleol, ond y dyfodol a dardd
yn ddwfn yn hen ddaear Pumlumon, ac wrth fynd,
meddai'r henwr o'r gornel, 'Siwrne dda i ti, ffrind.'

ILI

Cyngor Llywelyn ap y Moel i'r beirdd

(Un o'r beirdd fu'n ymladd ym myddin Owain ac a fu'n byw ar herw yn y coed ar ôl colli'r hen neuaddau)

Boed i'th gerddi adael y tir a arddwyd gan dy dadau
a throi'n flodau gwyllt yn y coed;
boed iddynt wrthod tyfu i fyny
er mynd i oed;
boed iddynt fod yn ddannoedd i'r rhai sy'n rheoli,
yn gur pen i'r drefn,
ac i bob gwaith papur
yn gic yn y tin ac yn boen yn y cefn;
boed iddynt fethu â chael deg gan Radio Cymru;
boed i ffiws eu darlledu chwythu'n glec;
boed i neb fedru mynd drwodd
wrth bleidleisio trostynt ar S4C;
boed iddynt gael eu dwyn oddi ar waliau tai bach,
eu ffotocopïo ar y slei,
eu llwytho ar y we heb dorri ar dy hawlfraint
na tholcio dy gadw-mi-gei;
boed iddynt ddod â llawer o enwau barddol iti
megis Penci a Ffŵl
a boed i neb, wrth wynebu coelcerth eu fflamau,
dy gyhuddo o fod yn cŵl;
boed iddynt wisgo Pajamas Batman yn yr orsedd
a sannau cochion am eu traed
a phan fyddant yn brathu,
boed iddynt gyrraedd y gwaed;
boed iddynt beri i bwysigion biso
o uchder, eu gwin
arnat, yn hytrach na'i estyn
yn foesgar, felys at dy fin;
boed iddynt gael eu paentio ar waliau pob castell,
eu pladurio i gaeau o ŷd,
eu naddu ar eirch a'u stensilio'n lliwgar
ar ochr pob crud;

boed iddynt fod o ddifri
wrth wneud lol
am ben y breuddwydion
sydd wedi magu bol;
boed iddynt ein gwared rhag pob drwg
sy'n ymddangos fel Duw
ac er bod lladd arnynt,
boed iddynt bara'n fyw;
boed iddynt gael llawer o gariadon
ymysg ein plant
a chael cynnig sawl peint gan yr henwr wrth y bar
na fydd byth yn sant;
Boed iddynt edrych ar y cysgodion
drwy lygad y dydd
a sefyll gyda'r mynyddoedd
ar y llwybrau rhydd
a hynny yng nghyllell
pob gwynt sy'n trywanu;
boed iddynt gyrraedd y galon
– a chanu.

MapD

Y bardd ar herw

Mae rhai hyd heddiw yn dewis byw ar herw fel Llywelyn ap y Moel, ar ryw Graig Lwyd neu'i gilydd. Gwell bod Cymro'n Eifionydd nag ar y daith i Gaerdydd! Un fu allan tan ddiwedd ei oes, heb geisio na phardwn na ffafr, oedd RS.

Picture: HOWARD BARLOW

ı his last parish on the Lleyn peninsula in 1993: 'We get eight months of winter here'

RS

Mae'r hen wynt fu gynt o'i go
Heddiw drwy'r Rhiw yn rhuo,
A sŵn y derw'n y don
A dyrr yn Aberdaron.
Mae hi'n dymor mynd o'ma
Ar holl wenoliaid yr ha',
Ond mae'r adar yn aos
Ar y graig arw a'r rhos.

Be' welodd yr hac boliog – o Lundain,
        A landiodd mor dalog?
    Nid brenin ar ei riniog,
    Nid dyn trist, a'i Grist ar grog

Ond dyn gwyllt, fel dewin o'i go'. – Hyll iawn
        Yw'r lluniau ohono:
    RS sych yn ei ddrws o,
    Ac RS oer ei groeso.

RS yn oer ei groeso?
Nid i'r un o'i adar o!
Carai ei wraig, carai win,
Carai'r ifanc, a'r rafin,
A charai holl drwch yr iaith,
Ei hofarôls, a'i hafiaith...
Bu'r gwaith, ar bara a'r gwin
Olaf ym Mhentrefelin,
Ac mae'r gwynt drwy Gymru i gyd,
Manafon, a Môn hefyd.
Ond mae'r adar yn aros
Ar y graig arw a'r rhos.
Aros byth, RS, y bydd
Adar mân dewr y mynydd

TM

‘Un o’r pethau brawychus am yr ymosodiadau ar Seimon Glyn yw’r awgrym na ddylem, fel Cymry Cymraeg, gael yr hawl i drafod ein parhad fel pobl. Oherwydd prif nod defnyddio’r term ‘hiliol’ ydi ein dychryn ni; rhoi taw ar drafodaethau cyn iddynt ddechrau hyd yn oed.’

Seimon Brooks
Colofn fisol y Golygydd
Barn, Chwefror 2001

'Branded a Racist'

Paid â hawlio'r trysorau – na honni
Fod, fan hyn, hen leisiau
Na thai, nac iaith, na tho iau:
Hiliaeth yw sôn am hawliau.

Hiliaeth yw codi helynt – ac agor
Dy hen geg amdanynt;
Trist yw dy ymbil trostynt:
Gad i'r gwellt fynd gyda'r gwynt.

Rhai dwl sydd am droi y don – troi y plant
A'r plwy'n garcharorion
I'r Gymraeg; mae'r Gymru hon
Â hiliaeth lond ysgolion.

Y nhw a'u twrw'n *Llanw Llŷn* – yw'r hyn
Sy'n creu rhwyg – pob rhifyn
Yn gwerthu gwenwyn gwrthun;
Y nhw, nid y llanw'i hun.

Nid yw dy Nanhoron di – ar y map,
Geiriau mud sydd gen'ti;
Yn fy heddiw unlliw i
Dy hiliaeth yw bodoli.

MapD

Teithio drwy Gymru

Wrth deithio gyda'r geiriau yma yn ôl ac ymlaen ac ar hyd ac ar led Cymru, mae'n rhaid croesi afon Dyfi rhyw ben i bob taith. Mae hynny'n arwydd o dorri asgwrn cefn y siwrnai yn aml. Wrth fynd, mae 'na edrych ymlaen; wrth ddod am adra, mae 'na hel atgofion...

Hogan fach yn gofyn yn Ysgol Ystrad Mynach:
'Ydi sgwennu yn Gymraeg yn gwneud iti deimlo'n hapus?'
Pam roedd hi'n gofyn? A'i hateb:
'Fedra 'i ddim stopio gwenu pan dwi'n sgwennu'n Gymraeg.'

* * *

Hogyn bach o gefn gwlad Maldwyn, o deulu garw am fargen, yn holi:
'Ydi'r busnes barddoni 'ma'n talu'n o lew?'
Hynny yw, o'i gymharu â defaid mynydd a myheryn Syffolc...

* * *

Athrawes o Ddihewyd yn dweud bod 29 o blant yn ei hysgol un mis Medi a bod 40 erbyn y Gorffennaf canlynol. Roedd yr un ar ddeg ychwanegol wedi cyrraedd o berfeddion Lloegr...

Hel y straeon a'u hadrodd sy'n bwysig o hyd, nid darllen adroddiadau blynyddol glòs y gwahanol gwangos. Mae'r rhai sydd wedi blino cwffio yn dweud bod popeth yn hynci-dori, nad oes diben brwydro. Mae'r rhai sydd wedi torri'u calonnau hefyd yn dweud nad oes diben brwydrol.

Rywle yn y canol, mae afon Dyfi'n llifo yn ei blaen o hyd. Machynlleth Rŵls OK.

Croesi Dyfi

Wrth groesi Dyfi, mae'r daith
yn wahanol ar unwaith
ac yn ei nerth, waeth gen i
ai dod ynta mynd ydwi;
mynd o'ma a 'mhen i'n dwymyn –
pen llawn lliw penillion Llŷn
a lluniau afon Conwy –
neu ddod yn fy ôl, rhyw ddwy
neu dair baled a stori'n
mynnu nythu o'm mewn i.

Nid oes môr yn cancro'r co'
na derw mwy'n ymdaro,
dim drylliad na marwnadu
na glan dŵr fel y glyn du.
Nid yw niwl cwmwd y nos
yn hir ar Ddyfi'n aros:
mae picellau golau gwyn
yfory'n dod tros Ferwyn.

Wrth groesi Dyfi, mae'r dydd
yn hedeg ar gân hedydd;
mae undonedd tonfeddi
yn pellhau ger cwymp ei lli
a sŵn y drafodaeth si-sô'n
anweddu. Dim newyddion.
Dim sbin blewyn o sinic
na chaws a gwin gwich a sgwîc.
Dim ond y mwyalchod mwyn
yn cael ogo' mhob clogwyn
o ffridd i ffordd, ffordd i ffau
i odli a hel chwedlau.

Un ferch, dim ond croten fach,
o'm mewn ers Ystrad Mynach
a'i holi'n cosi'n y cof
a'i gwên wen fel gwin ynof . . .

Hen daid o gòg bèch yn dwyn
haldiad o eiriau Maldwyn . . .

Neu gwdihw Dihewyd
a'i thw-hw'n bygwth o hyd . . .

straeon y lôn aflonydd
wrth groesi Dyfi bob dydd.

MapD

Dyfi Junctions bywyd

Be tase Owain Glyndŵr yn byw heddiw?
Maen siŵr y base fynte wedi treulio ambell i awr ddi-fudd yn aros am drên sy' byth yn dod yn Dyfi Junctions.

Mi ddeudodd rhywun rywbryd nad oedd bywyd mond yn daith;
wel os felly, dwi 'di bod yn Dyfi Junctions lawer gwaith
yn aros yn obeithiol am drên a ddaw i'm nôl
a 'ngharío ymlaen o fa'ma, neu yn ôl.

Yn Dyfi Junctions bywyd, er bod pawb yn eitha clên,
dim ots faint dech chi'n aros, fydd na'n dal ddim sein o drên,
ond a chithe'n anobeithio daw *express* i lawr y trac
a dyna pryd mae'n bryd 'chi godi pac.

Mi hities i y Junctions yn ôl yn saith deg naw
ar fore Gwener diflas; roedd hi'n trio bwrw glaw
mi gysgais ar y platfform, mi gollais drên neu dri
yn sydyn doedd 'na neb ar ôl ond fi.

Dyfi Junctions bywyd, does na'm dianc o'r fan hyn
mae rhai di bod 'ma ers cyhyd mae'u gwallt 'di troi yn wyn
ond mae 'na lawer llai o sŵn ac mae 'na lawer llai o fwg;
'di Dyfi Junctions bywyd ddim yn ddrwg.

Dyfi Junctions bywyd sy'n ein cadw ar y rêls
yn wyneb anwadalwch Plaid Cymru / Party of Wêls,
Old Labour / Llafur Newydd, a holl wleidyddion byd;
ma Dyfi Junctions bywyd yno o hyd.

Dwi'n hoff o fynd i Wrecsam i sefyll ar y Kop
dio'm cweit yn fythgofiadwy: deud gwir, dio fawr o gop
ond fanne den ni'n sefyll, yn ifanc ac yn hen
a rywsut byth yn llwyddo i ddal y trên.

Dyfi Junctions bywyd – maen nhw i'w cael ar hyd y daith;
ynysoedd o lonyddwch i dorri siwrne faith
bydd rhai'n mynd ar drêns cyflym i'w hosgoi nhw, ond i be?
Dyfi Juncshons bywyd ydi'r lle.

Dyfi Junctions bywyd – y lle brafia yn y byd
yn lle bod dyn yn symud o hyd, o hyd, o hyd,
yn Dyfi Junctions bywyd gei di ysbaid ar y daith

ond paid â cholli'r connections ola, chwaith.

GL

Rowndabowts

Mae'n dipyn haws teithio yng Nghymru y dyddiau hyn nac yn nyddiau Glyndŵr, ond fel y dangosodd yr ymgyrch dros Gynulliad, mae 'na rai o hyd nad ydyn nhw am weld y wlad fach 'ma'n unedig. Ac yn ddiweddar daeth arf arall i geisio arafu'r daith o'r de i'r gogledd - rowndabowts! Ond ella nad ydyn nhw'n arf mor newydd â hynny 'chwaith.

'Does 'na ddim byd yn uniongyrchol yng Nghymru,
mae'r clymau Celtaidd wedi treiddio i'n mêr;
'dach chi 'di trïo cyrraedd Caerdydd heb 'rafu,
brecio'n sydyn a newid gêr?

mae o'n rhan o ryw gynllwyn dieflig
i wneud yn siŵr nad oes un llinell syth
i gysylltu hogia'r gogledd a'r hwntws,
na chaeir y bwlch rhwng y ddau begwn byth:

roedd pethau wedi dechrau gwella –
wir i chi, roedd 'na gynlluniau ar droed,
i dorri twneli trwy Eryri a'r Bannau,
a ffleiôfar dros y Cob hyd yn oed:

ond fe glywodd rhyw gringo'n San Steffan
fod y brodorion am unioni'r lôn,
a dyfeisiodd gynllun gwych, Ewropeaidd
i roi taw ar y lol yn y bôn:

'Mae'r werin yn gyrru'n rhy honco,
mae'n rhaid gwarchod dyfodol yr hil;
mae gen i gronfa arbennig ar gyfer rowndabowts ...
50/50 hyd at bedwar can mil'

Roedd y cynghorau lleol fel gwenyn
yn heidio yn wyllt rownd pot jam,
a 'rownd' ydi'r diffiniad priodol,
rownd a rownd a rownd a rownd, heb ystyried pam.

Ym Machynlleth, fe aethon nhw amdani,
rhwng y cloc a Cheltica roedd na le
i osod pedwar rowndabowt yn hwylus
meddai doeth ddinasyddion y dre:

Yn Llanwnda maen nhw'n dlawd druan, doedd dim arian
i fatsio cyllid haelionus y Cwîn,
felly dyma godi cylchdro bach cymen,
yn union fel pimpl ar din:

mae'n rhaid i chi edmygu y bensaernïaeth,
defnydd dethol o lechi a theils;
mae hyd 'noed y Bwrdd Croeso yn clochdar,
'enjoy the hidden roundabouts of Weils!'

Aeth rhai yn llwyr amgylcheddol,
plannu llwyni a glaswellt a gwŷdd,
medrwch ddod â'r teulu am bicnic
a mwynhau yr olygfa trwy'r dydd:

mae'r adar a'r creaduriaid yn ffynnu,
ceirw hirion, crehyrod, racŵn,
ac os caiff eu cynefin ei fygwth,
bydd Cyfeillion y Ddaear yn cadw sŵn.

Rhaeadrau, afonydd, cylch meini,
maen nhw'n ddigon o ryfeddod yn wir,
mae'n anorfod y bydd un ohonyn nhw'n ennill
gwobrau Cyngor Cefn Gwlad cyn bo hir!

Ond mae un rowndabowt a fu'n sefyll
cyn i'r un cynllun Ewrop ddod i'r fei,
a'r bobol a'r bysus a'r ceir yn cylchdroi
o'i amgylch ar ochor y cei:

Dyma'r blwprint ar gyfer y cyfan,
gwelodd Edward yn iawn sut i droi
y Cymry yn genedl ranedig,
'codwch rowndabowt mwya'r byd,' medda'r boi:

ac wrth i'r Cynulliad drïo'n troi ni
yn un genedl o Fynwy i Fôn,
fe fydd Cadw yn brwydro i arbed pob un
rowndabowt sy ar ganol y lôn.

ILI

Glywaist ti honno am yr Irish Pỳb, yr English Pỳb a'r Welsh Pỳb?

Petasai yna English Pỳb yn Rhuthun yn 1400, mae'n bur debyg na fuasai Glyndŵr wedi ymosod ar y dre. Y drwg oedd bod y dre i gyd yn un English Pỳb trefedigaethol anferth, ac mae'r gweddill yn perthyn i hanes. Arwydd o wendid yn yr empaiyr ydi ymddangosiad English Pỳb – arwydd fod 'na lot mwy ohonon ni nag ohonyn nhw a'u bod nhw angen rhyw hafan ddiogel sy'n eu hatgoffa am eu *'green and pleasant land'*. Erbyn hyn, mae 'na Welsh Pỳb yng Nghaerdydd. Achos dathlu ar un ystyr – mae o'n gam i'r cyfeiriad iawn y dyddiau yma. Ond mewn gwirionedd, fedrwn ni fyth fod yn fodlon nes y bydd pob pỳb yn Nghaerdydd yn Welsh Pỳb (heblaw am ambell un Irish difyr wrth reswm) a bod 'na leiafrif bychan wedyn yn gweld yr angen am English Pỳb i'w diddori'u hunain. Digon teg fasa hynny hefyd. Fel'na dwi'n meddwl y dylan ni edrych ar bob man yng Nghymru. Ia, hyd yn oed Abersoch. Mae hwnnw'n lle braf iawn – yn y gaeaf, pan

Gweledigaeth yr English Pỳb

Am reswm na fedraf ei ddatgelu yn llawn
Ron i mewn English Pỳb yn Llydaw un pnawn
Un o'r llefydd, *'English is spoken here'*
'English owner' ac *'English beer'*
Ar gyfer pob Sais y mae Mysgadan a seidar
Iddo'n bibo llo bach neu'n wenwyn neidar:
Lloches rhag garlleg; cilfach rhag dweud *'merçi'*;
Gwâl rhag mwg Camel; harbwr rhag *'Brettone fisherman jersi'*;
Lle fidios ffwtbol a miwsig T. Rex
I leddfu'r hiraeth gyda photeli o *Becks.*

A phan oedd fy mheint hanner ffordd i lawr,
Fan'no y cefais y Weledigaeth Fawr
Am Aber-soch heddiw a'i Power Boat Clỳb.
A Phen Llŷn y dyfodol efo'i English Pỳb.

Yn yr Aber-soch newydd a welais i,
Bync a Brachdan ydi B an' B.
Aeth y *St Tudwals* yn Far y Pererinion
Ac mae'i lond o saint, nid ei lond o Saeson;
Aeth *The Vaynol* yn Y Lle Llwch ac 'mae 'no hen lysho
Ar gwrw grug a mêl Bragdy Bodnitho;
Aeth y *Land an' Sea* yn Chwa o Awyr Iach
A 'Morlo' a 'Morforwyn' sydd ar ddrysau'r tai bach;
Aeth y jiwc bocs *Top Twenty* yn Anweledig a Maharishi
A Sky o'r Gofod i Gymru sydd i'w gael ar fy nish i;
Aeth *West Coast Surf* yn Llambedyddiols Llŷn;
Mae'r unig Sais sy'n Warren yn siarad 'fo fo'i hun;
Mae tractors twyso cychod i'r môr ac yn ôl
Yn blastio Radio Llŷn a'i gerdd-dant-roc-an-rôl
Ar gaeau Castellmarch yng Ngŵyl Werin Huw Puw
Mae shantis y saith môr yn felys ar fy nghlyw;
Ac yn yr hen *Craft Centre* mae Oriel Pwlldefaid
Yn gneud breichiau soffas o gewyll cimychiaid;

Tâp o Bryn Terfel yn canu'n Ffrangeg yn Verona
Gewch chi'n siop wallt Benita a Fiona;
Mae Derwyn dal yn y Post ac mae'i dafod o'n damp
Achos llun Cerys Mathews sy' bellach ar bob stamp;
Caws Cilan sy'n y Caffi, nid caws o sir Gaer
Ac maen nhw newydd benodi Seimon Glyn yn faer.

Ac ar nosweithia Sadwrn, bydd Stomp yn Tŷ Gwyn,
Rhyw hwyl y ffordd acw a hiraeth ffordd hyn
Ac ambell ymwelydd o Aran a Japan
Â'u cân eu hunain yn awr ac yn y man
A rywle ar y cyrion, mi glywir hỳb-bỳb
'Bygyr this for a lark – lets go up English Pỳb'
Ac mi fydd rhyw ddau yn gadael y criw
Am gorlan Seisnigrwydd ar y lôn bach am Rhiw
I alaru drwy'i gilydd am *Aber-sock by the Sea*
A'r hen, hen ddyddia a rhyw deimlo 'dw i
Y basa Glyndŵr, gyda'i dafod yn ei foch,
Yn falch fod English Pỳb – o'r diwedd – yn Aber-soch.

MapD

Bae Caerdydd

Y drwg efo Amcan Un ydi nad oes yna ddim Un Amcan. Mae rhai, wrth gwrs, yn rhoi'r bai ar y Bê. Mae'r sefydliad ym Mae Caerdydd yn ymddangos fel pe bai mynd drwy'r moshwns yn ddigon, ac nad oes dim rhaid gwneud dim byd...

Mae'n edrych yn wych; maen nhw
yn llawn o heip penllanw –
llun swel ydi'r hoff ddelwedd,
a'r gamp, meddant, yw creu gwedd
calendr glòs: cael un dŵr glas
haeddiannol o brifddinas
dros hafren y beipen bòg
a lleuadau'r gwlâu lleidiog.

Ac yn siŵr, mae dŵr Caerdydd
gystal â llun: llun llonydd,
heb ordd yn nhonnau'i bae hi
na halen yn ei heli.

Pa wefr cael wyneb hyfryd
a'r dŵr rhydd ar drai o hyd?
Rhowch le i fwy na drych o wlad,
rhowch im fwy nag edrychiad –
rhowch im ddydd y bydd y bae'n
llyn drwg ac yn llawn dreigiau.

MapD

NAT

Ffag bump

Mae'n bump yn y Bae. Mae'r môr ynghlwm
wrth y cei, a'i angorion yn drwm
ac mae baneri'n saliwtio'r hen gapten
pan ddaw bwch o wynt ar draws Môr Hafren.

Yn y *Cambrian Building*, mae'n amser ffoi,
a thrwy tafodau glân y drysau troi
sy'n agor a chau eu cromfachau
am awyr bur y coridorau,
mae hi'n rhuthro i'r stryd; tanio, tynnu
ar ei ffag bump a'i dwylo'n crynu.

Cewch lanhau'r cantin, lluchio pob stwmp,
hoelio ar waliau mân-reolau yn blwmp,
ond mae'n anodd datod yr hen glymau drwg
sy'n caru'r awyr iach ond yn cofleidio'r mwg.

Ac mae baneri'n saliwtio'r hen gapten
pan ddaw bwch o wynt ar draws Môr Hafren.

MapD

Taith Glyndŵr 2000

Ar y daith o gwmpas gogledd a chanolbarth Cymru wrth ddathlu Gŵyl Glyndŵr, Medi 2000, daeth y beirdd wyneb yn wyneb â thrafferthion teithio. Roedd hi'n wythnos y Gwrthryfel Betrol ac roedd prinder tanwydd a rhwystrau eraill ar y ffyrdd. Wrth gynllunio i fynd o Lŷn ac Eifionydd am Rhuthun un diwrnod, daeth y newydd fod y ffermwyr wedi baricêdio Bryncir a bod tacsis Bae Colwyn yn tagu'r A55, nes achosi pum millitir o giw.

Ar y cyfan, roedd cefnogaeth nerthol i'r Streic Betrol er bod ambell lais yn gwichian. 'Sut dwi fod i fynd â'r plant i'r pwll nofio rŵan?' neu 'Fedra i ddim mynd i Tesco wythnos yma – mi fydd raid i mi nôl bara o siop y pentre'. Mae'n rhaid i ni i gyd fod yn fodlon dioddef mymryn adeg gwrthryfel, ac yn amlach na pheidio roedd 'na ryw ffordd o gyrraedd pob man o hyd.

Roedd Glyndŵr yn bencampwr ar deithio ar draws gwlad. Trwy Gwm Cynfal a thros y Migneint yr aethom ninnau i Ruthun y noson honno, ymlaen drwy Dir Ifan a thros Hiraethog. Dilyn yr hen fap fu raid.

Cofiwch, doeddan ni ddim nad oeddan ni'n cydymdeimlo â Blêr a'i lywodraeth daclus chwaith. Pam na fedrwn ni weld ei bod hi'n hollol deg a rhesymol i drethu tanwydd o safon byw cefn gwlad Cymru fel bod de Lloegr yn talu llai o dreth incwm? Sut arall y medran nhw'n ffor'no fforddio derbyn triniaethau BUPA a rhoi addysg breifat i'w plant?

Map gwrthryfel

Mae'r map gwrthryfel allan heno:
Dros y mynyddoedd dan ni yn teithio;
Dan ni'n gwybod ffor' awn ni – dan ni'n gwybod erioed
Am y bylchau unig, y corsydd a'r coed
Heb gastell na thollborth na rhingyll digwilydd
Ond ambell i ddafad a llidiart y mynydd;
Os oes 'na rwystrau ar y lôn isel,
Mi ddown ni i Ruthun hyd y lôn uchel.

Mi glywn ni eto gan arglwydd y canol
Mai annemocrataidd ydi gwrando ar bobol
A pham fod angen y fath brotestio
Ac yntau yn un mor barod i wrando?
Ond trech ydi gwlad ac wfft i'r lôn hwylus:
Down i ben ein taith 'hyd y lôn drafferthus.

MapD

Lliwiau'r Cynulliad

Sut fyddai Owain Glyndŵr wedi ymateb i'r ymateb llugoer yng Nghymru i ennill y frwydr dros y Cynulliad. Fyddai o wedi bod ar y strydoedd yn dathlu, neu a fyddai o wedi gweld y cyfan o'r blaen, gan wybod bod yn rhaid wrth amynedd a dyfalbarhad i wireddu'r freuddwyd.

Posteri mawr melyn a baneri coch
a phob un eglwys yng Nghymru yn canu'r gloch:

paent gwyn a gwyrdd nid cachu gwylan, ar Lloyd George ar y Maes
a Thŵr yr Eryr yn drybola o gonffeti llaes:

Stryd y Frenhines fel Rïo ar brynhawn y Carnifál
a'r genod bronnoeth yn herio'r gwleidyddion i'w dal:

barbaciw yn Llanfyllin ac ŵyn melys Cymru yn un
yn brefu mewn harmoni mai eu hymgeisydd nhw ydi'r dyn ...

Côr y Traeth yn Chicago yn darlledu o hyd
nad oes Ynys fel Môn ymhlith mamau y byd

ac yn Aberhonddu mae'r bandiau yn cynnal reiat drwy'r dre',
gan gyhoeddi bod y gyfraith yn nwylo heddlu y de:

Ffandango, ffiesta, ffair wagedd, ffwrdd â hi,
a threnau'r chwyldro'n llosgi creithiau ar ein cledrau gwyn ni:

ym Merthyr mae'r cymdogion yn cynnal parti'n y stryd,
yn rhannu cardiau pleidleisio yn gyfrannol a chlyd:

ac yn Llanelli mae'r sosban yn berwi drosodd â hwyl
y pleidiau berw sy'n cadw gwaith, gorymdaith a gŵyl:

pob mynwent dan ganu, pob ffatri yn ffôl;
mae'r cynulliad yng Nghymru ym mhob inja roc roc a rôl:

o Gaergeiliog i'r Ogwr, o'r Fflint i Dre-fin,
o Gaerleon i'r Groeslon 'does dim stop ar y gwin...

neu felly o'n i'n disgwyl a'r wawr newydd ar ddod...
pam fod pobman mor dawel, be ar y ddaear sy'n bod?

fe fentrais i fodio 'nôl adre'n ddi-stŵr
a chael pàs yng nghefn pic-yp digon blêr rhyw hen ŵr:

wrth fynd drwy dre' Machynlleth a'r cloc yn taro ar gam
un ar ddeg yn lle hanner, fe ofynnais i, 'Pam

fod y wlad 'ma mor ferfaidd, heb na ffrwydriad na ffair?'
'Fe ranna'i gyfrinach fy machgen i, paid ti ag yngan gair,

'fe ddois i'r ffordd yma un waith o'r blaen,
â chlogyn a chleddyf a tharian haearn Sbaen,

'a chodi pwt o Senedd, a chipio ambell gaer
cyn diflannu fel tân Annwn ar herw i'r aer,

'ac fe ddysgais bryd hynny mai'r gwŷr llwyd bia'r dydd
ond bod calon y Cymry'n dal i guro yn rhydd.'

ILI

Chwe chanrif yn prifio

(Medi 2000)

Mae cariad a chario
yn dod yn un am hanner nos,
wrth ddringo'n Owain i'r llawr ucha
a chyrchu'r meibion
o'u cwsg i'r geudy;

eu cludo'n olud
bydol
bythol
lawr y grisiau
igam ogam
serth,
a'u coesau'n clertian
fel adenydd cloff...

ond byth yn waldio'r waliau
am fod cariad a chario
yn dod yn un am hanner nos...

Mae rhieni ar risiau pob oes
yn gwasgu trwy sawl Hyddgen
a Phwll Melyn
er mwyn eu gweld nhw'n Sycharth yn y nos.
Dyna'r Pennal sy'n ein cynnal heb os,
ond am ba hyd
all syniad gario cysgadur?
Pa bryd y mae breuddwyd
yn magu'i draed ei hun
yn lle sefyll yn gysglyd stond
ar fat y tŷ bach,
yn profi rhyddhâd
mewn stad o anneall,

a'r golau'n boen
ar ei amrannau tynn?

Mae'r dyfodol yn drwm
wrth ailysgwyddo'r baich,
dringo'r grisiau drachefn
a swatio'r meibion dan Harlech eu cynfasau.

Yna,
fe giliwn i'r cnoi-gwinadd wyll

a gobeithio i'r freuddwyd gerdded
cyn bo hir...

Gofynnwch felly,
ai dyna'r cyfan?
Ydi gwlad yn syniad mor syml
â dysgu hogia
i biso yn y nos?
Ai Cymru
yw peidio gwlychu gwlâu,
cerdded grisiau'r hwyr,
â hyder yn ein hydreiddio?
Wel, ia,
ond nid rhyw Owain a'i gwna
ond y nhw, ein meibion ni...

a dyna paham
fod cariad a chario
yn dod yn un,
ac mae hi toc cyn hanner nos...

lapG

Mi gân nhw ddisgwyl

Buom yn disgwyl y barbariaid ers talwm. Mae hi'n unfed awr ar ddeg ar hugain arnon ni ers canrifoedd, yn ôl y sôn! Ond fel Owain ei hun, heb fyddin ond heb fedd, yr ydym weithiau fel petaen ni'n bod mewn rhyw eiliad y tu allan i amser y byd. Yr eiliad hwnnw cyn i Heilyn ap Gwyn agor y drws na ddylid ei agor, a gadael gwynt Aberhenfelen drwyddo.

Mi gân nhw ddisgwyl nes plygu pebyll yr ŵyl.
Mae eu llofnod heb ddim awdurdod
Rhwng bod y dail yn dod, a bod y plant yn gwneud cychod,
A bod y cychod ar afon, a'u bod nhw ar yr eigion;
Rhwng bod y mwyar yn ddu, a'u bod nhw wedi'u bachu;
Rhwng y chwedl a'r chwerthin, ac Ebrill a hanner Mehefin;
Rhwng dwi'n dy garu di, a chawod oer y conffeti;
Rhwng bardd y llong yn y freuddwyd, a'r ddesg yn y swyddfa lwyd;
Rhwng y wledd a'r angladdau, rhwng agor ein llygaid a'u cau;
Rhwng bod Heilyn yn gweld y ddôr, ac yn codi i'w hagor.

TM

Arwr y Mileniwm

Ddechrau fis Rhagfyr 1999, cyrhaeddodd Owain Glyndŵr y seithfed safle yn siart 'Person Mwya Pwerus Mileniwm' yn y *Sunday Times*, wrth i bobl fwyaf dylanwadol y byd ei enwi yn un o bwysigion y milflwydd diwethaf.

Ffigyrau'r sefydliad oedd mwyafrif y lleill ar y brig ac ar un olwg, roedd hi'n rhyfedd gweld Glyndŵr, y gwrthryfelwr a giliodd yn niwedd ei oes, yno yn eu mysg. Taniodd wrthryfel a llwyddodd i'w chynnal am gyfnod maith yn nannedd y grym milwrol mwyaf pwerus yn y byd yn y cyfnod hwnnw, mae'n wir, ond ni adawodd wlad rydd ar ei ôl. Colloddd ei deulu, ei ffrindiau agos a'r rhan fwyaf o'i fyddin ac roedd Cymru wedi'i dinistrio cymaint fel bod y tlodi ar newyn i'w deimlo am ddegawdau.

Eto, mae'r arbenigwyr yn gytûn bellach iddo roi ysbryd newydd yn ei bobl a'i fod o hyd yn uno'r holl wlad, yn arwr cenedlaethol. Tyfodd y chwedlau amdano ac enillodd galon ei wlad.

Fel ymladdwr, enillodd barch ac edmygedd ymhell y tu hwnt i ffiniau ei wlad ei hun. Mabwysiadodd ddull *guerilla* o ymladd, lle'r oedd minteioedd bychain o filwyr Cymreig dewr, cymharol brin eu harfau, yn gwibio yma ac acw gan fanteisio ar natur y tir a'r tywydd yn wyneb byddinoedd anferth a chlogyrnaidd y gelyn.

Nid rebel oedd, ond gwrthryfelwr – nid herio'r drefn oedd ei fwriad ond ei newid. Sefydlodd ei wladwriaeth gan ymladd am ei thiriogaeth yr un pryd. Does ryfedd fod Fidel Castro, yr arweinydd yn Cuba, yn edmygydd mawr ohono ac yntau'n wrthryfelwr *guerilla* sy'n gorfod dal ei dir yn styfnig yn erbyn cymydog llawer mwy. Roedd Grivas, arweinydd y gwrthryfelwr yn erbyn y lluoedd Prydeinig yng Nghyprus ar ôl yr Ail Ryfel Byd wedi astudio tactegau ymladd Glyndŵr yn fanwl. Mae'n ffaith hefyd fod yr RAF yn Lloegr yn astudio dulliau Glyndŵr o ymladd wrth hyfforddi cadetiaid.

Mae eraill yn ei edmygu am iddo roi dimensiwn newydd i'r gair 'annibyniaeth'. Creodd gysylltiadau â arfer o wledydd, gan gynnwys arweinwyr rhanbarthol Lloegr, gan greu dealltwriaeth wleidyddol gyda'r arweinwyr hynny. Roedd ganddo weledigaeth fodern am gydweithrediad rhwng gwledydd ac roedd yn gweithredu ar lefel Ewropeaidd.

Yr un oedd ei frwydr hefyd â brwydr gwerin gaeth ei wlad. Cafodd y Cymry eu huno'n un dosbarth o dan y deddfau cosb a chododd yntau ei faner yn erbyn y gormes oedd yn gwasgu ar bob un ohonom. Roedd ei wrthryfel yn un boblogaidd yng ngwir ystyr y gair, yn ymladd yn erbyn hiliaeth a thrais ac anghyfiawnder.

Mynydd Glyndŵr

Mae'n ymrithio'n hollol wahanol
o'r gogledd ac o'r de
ac yn rhy helaeth
i neb weld y cyfan o un man.

Llwybr y Gwladweinydd
sy'n hebrwng y rhan fwya
at ei gopa,
gyda rhai yn ffafrio Crib yr Ewropead
ac eraill, Glogwyn y Gwladgarwr,
ac i'r gwir uchelgeisiol
mae Dringfa'r Sosialydd
trwy Simnai'r Pladurwyr
a Cheudwll y Myfyrwyr Coll.

Shakespeare oedd y Sais cynta
i gyrraedd ei gopa
a'i lyfr tywys yntau
a'i cyflwynodd i bobol
y byd dringo rhyngwladol.
Mae sawl un wedi tynnu sylw
at ei wallau sillafu
ond roedd y crwydryn o Sais
yn ddigon craff
i weld sut y gall y rhyfygus
lithro'n droednoeth o'i lethrau
a gorfod cilio
unbooted mewn ambiwlans.
Ai yn sgîl William
y daeth Castro a Guevara
i ymarfer ar Glogwyni'r *Guerilla*
cyn eu cyrch ar Kanchenjunga Ciwba?
Ni wyddwn, ond ar eu hôl daeth Grivas
cyn mynd i ddringo 'Nghyprus.

I'r Cymro
gall ei ddringo
fod yn brofiad ysbrydol,
gan fod sôn am ei fawredd
yn y chwedlau cynhara
cyn i neb fyth ei fentro
am y tro cynta.
A phan mae hwn i'r niwl yn llithro,
rywsut, mae'n haws i'r Cymro coch ei waed
synhwyro
fod y mynydd dal yno
yn bresenoldeb dan ei draed.

Mae erydu'n broblem,
bid siŵr,
gan fod pawb isio darn
o Fynydd Glyndŵr,
ond bydd Mwyalchan Cilgwri
wedi treulio'i hengan yn llwch
cyn i'r copa hwn
fynd 'run tamaid yn llai
yng ngolwg y miloedd ar filoedd,
sydd fel eu cyndadau,
yn arddel ei olygfeydd
ar barwydydd eu heneidiau...

IapG

WELSH 100 MILLENNIUM ICONS

1. The Welsh Dragon Flag	17. Mountains/countryside	33. Welsh Chapel
2. Bryn Terfel	18. Esgob William Morgan	34. Diana - Princess Of Wales
3. Welsh Language	19. Max Boyce	35. Richard Burton
4. Owain Glyndŵr	20. Singing	36. Urdd Gobaith Cymru
5. Eisteddfod	21. Bara Brith	37. Hogia'r Wyddfa
6. Dafydd Iwan	22. St David	38. Geraint Evans
7. Snowdon	23. Tom Jones	39. The Welsh Welcome
8. Rugby	24. The Castles Of Wales	40. The Welsh Harp
9. David Lloyd George	25. Dylan Thomas	41. Cerdd Dant
10. Hen Wlad fy Nhadau	26. Slate Quarries	42. Giraldus Cambrensis
11. Anthony Hopkins	27. Sheep	43. Ryan Giggs
12. Male Voice Choirs	28. Llywelyn Ap Gruffudd	44. Aneurin Bevan
13. Cerys Matthews	29. Harry Secombe	45. Saunders Lewis
14. Gwynfor Evans	30. Welsh Lamb and Mint Sauce	46. Siân Lloyd
15. Neil Jenkins	31. Daffodil	47. Leek
16. Dafydd Wigley	32. Coal Mines	48. National Stadium (Cardiff Arms Park)
		49. Llywelyn Fawr
		50. The Song 'Myfanwy'

Eicons Cymru

Sgiws mi – gawn ni ddistawrwydd?
let's have a bit of hush,
mae Myrddin ap yn eicon
rhwng Cwm Rhondda ac Ian Rush.
'Am be ma'n rwdlan?' meddech chi,
'Dio'n mynd yn wirion bost?
Na, sôn ydwi am eicons Cymru
yn ôl darllenwyr y *Daily Post*:
mae'n rhestr o gan eicon
sy'n rhoi Cymru ar y map;
ac yno, yn rhif 65
mae'r prifardd Myrddin ap:
iawn, ma'n is na Shirley Bassey –
rhif 56 'di hi –
ond ma'n lot uwch na'r Cynulliad
sy 'mond yn 93:
a 'sa hynny ddim yn ddigon
i neud 'ddo fo deimlo'n falch,
yno yn rhif 86
mae'i wasg o, Carreg Gwalch!

51. Simon Weston	67. St Fagan's Museum	83. Alan Llwyd
52. The Menai Suspension Bridge	68. Gareth Edwards	84. George Davies
53. Hiraeth	69. Llŷn Peninsula	85. James Griffiths
54. R Williams Parry	70. Welsh Love Spoon	86. Gwasg Carreg Gwalch
55. Graham Henry	71. Gwyn Hughes Jones	87. Calon Lan
56. Shirley Bassey	72. Gerallt Lloyd Owen	88. Arthur Rowlands
57. Neville Southall	73. Welsh National Opera	89. Narrow Gauge Railways
58. Rhys Ifans	74. Jubilee Tower	90. Lobsgows
59. Henry VIII	75. National Library Of Wales	91 Welsh rugby shirt
60. 2000 Voices CD	76. Hywel Dda	92 Ioan Gruffudd
61. Bedwyr Lewis Jones	77. Huw Llywelyn Davies	93 The Welsh Assembly
62. Emrys Ap Iwan	78. Charlotte Church	94 Waterfalls
63. The Prince Of Wales Trust	79. Snowdonia Railway	95 Ron Davies
64. Cwm Rhondda	80. Welsh Costume	96 Cymdeithas Yr Iaith
65. Myrddin Ap Dafydd	81. JPR Williams	97 Welsh Dresser
66. Ian Rush	82. The Aberfan Disaster	98 Welsh Bible
		99 Map Of Wales
		100 Bread Of Heaven

Dim sôn am wasg y Lolfa,
Gwasg Gomer na Gwasg Gee,
a di'r Prifardd Alan Llwyd ei hun
'mond yn rhif 83:
sna'm sôn am feirdd fel Cynan,
nac Iwan Llwyd ychwaith,
ond mae Huw Llywelyn Davies
yno'n rhif 77.
Mae Harri'r Wythfed yn eicon,
ond nid tîm rygbi Nîth,
ac ma Dewi Sant yn falch, dwi'n siŵr,
o fod jyst o dan 'bara brith'.
Mae Llywelyn Ein Llyw Olaf
i mewn yn twenti-êt,
ond rhwng defaid a Harry Secombe!
- siŵr fod o'n teimlo'n grêt.
Mae R Williams Parry yno,
ond Parry-Williams yn eisiau,
a pwy mewn difri fotiodd
dros CD Dwy Fil o Leisiau?
Saunders a'r genhinen –
dwy eicon os bu rhai erioed,
ond yno'n daclus rhyngddyn nhw
mae'r marfylys Siân Lloyd.
Princess Diana sy yno,
ond nid 'rhen Garlo chwaith
a rhwng Ron Davies a dresel Gymreig
ydi lle Cymdeithas yr Iaith:
sna'm sôn am John ag Alun
er bod nhw'n *'made it big'*,
a does na'm sôn am Bryn Fôn,
nac Arfon Wyn, na'i wig.
A hold on, dwi ddim yma,
does na'm sôn am Lovgreen!
Wel, am restr dwy a dime,
gewch chi'i stwffio fyny'ch tîn.

GL

Mae Cymru ar agor:

ac mae croeso i chi i gyd yn eich Discoveries
a'ch Renault Meganes,
eich carafanau a'ch siarabangs aer-gylchog
aml-olwyniog
i gau ein lonydd a thagu'n pentrefi,
a pheri cynddaredd mewn beirdd
sy'n trïo cyrraedd ysgol arall cyn tri:

mae Cymru ar agor
a'i breichiau'n agored,
fel tywysoges ddiniwed
yn credu mai Arab cyfoethog
yw pob twat mewn penwisg,
(neu dderwydd dylanwadol
nad yw'n gybydd o dan ei goban)

mae Cymru ar agor
i ladron Lerpwl a chŵn Caer
i faeddu ein dreseli gorau
i feddiannu'n palmentydd,
er mwyn eu gwerthu ar fore Sul
mewn sêl cist car:

mae Cymru ar agor
i bob dirmyg a sarhâd
am fod y wlad
mewn gêm banel dragwyddol,
yn cynllwynio'n ddefodol
pwy 'di'r ddolen wan:

mae Cymru ar agor
i gynnig yr addysg orau
mewn iaith o'ch dewis
ond does dim rhaid i chi ddewis

mynd â'r Gymraeg allan i chwarae
achos fe fyddai hynny'n hiliol
a does dim isio troi'n chwerw:

mae Cymru ar agor
yn ei menyg gwynion gorau
yn wên lydan ar yr hysbysfyrddau,
yn Bortmeirion o batrymau,
yn doreithiog ei thraethau
a hyderus ei hawdlau,
achos 'di tristwch byth yn talu:

mae Cymru ar agor
yn sws fach sydyn
yng nghlwb nos rhywun-rhywun;
a'r ddraig yn cwhwfan
uwch meysydd y traed a'r genau,
a phob un arwydd yn ddwyieithog,
yn driw i'r drefn.

mae Cymru ar agor
unwaith yn rhagor
i Swetenhams a Beresford Adams
a'n tai a'n pentrefi'n fargen
am ddwbwl y pris:
mae hi ar ei chefn,
(ond wedyn mae hwrod
yn cyfrannu mwy i'r economi Gymreig
na ffermwyr yn tydyn:)

mae Cymru ar agor
a phob atgasedd a phydredd a phla
wedi'i gladdu dan domenni
o'r cachu rwts mwya' -

mae Cymru ar agor
am fod y capeli a'r tafarnau bach gwledig,

y chwareli a'r pyllau
a'r tyddynnod yn y bryniau,
y trydan a'r tafodau,
y straeon celwydd golau,
y prynhawniau chwil a'r chwedlau,
y dofednod a'r defodau,
a roc a rôl y bandiau,
a phob lôn o Fôn i Rwla,
a 'nghalon dywyll innau
i gyd ar gau:

ond mae Cymru ar agor.

ILl

Beth yw Owain Glyndŵr?

Mae'n dîm darts yn Llanddona,
Yng Nghaerdydd pỳb;
Yn Mach, lle Bwrdd Croeso
A snwcer clỳb.

Ar lein fach Rheidol
Mae'n drên stêm
Ac roedd Alun Meical
Isho rhan yn ei gêm.

Yng Ngharrog, mae'n garchar;
Yng Nglyndyfrdwy: tŷ;
Mae o hefyd yn glamp
O darw du.

Mae'n botel o wisgi
Efo dipyn o gic
Ac yn feithrinfa jereniyms
Yn Nhafarn y Pric.

Ym Meddgelert, ogof;
Yn y Berwyn, bryn
A thestun englyn
Ydi o i Ddafydd Wyn.

Mae'n droednodyn cywydd
Ar y cwrs Lefel A
Ac mae o rwbath i'w wneud
Efo tai ha'.

Mi fasa'n ŵyl banc
'Swn i'n cael hanner tshans
Ond yn Llangynog
Mae'n lle carafans.

Mae'n enw ar iot
Yn Nhrearddur Bê
Ac mewn tafarn ger 'Mwythig
Mae'n 'Dish of ddy Dê'.

Mae'n llun ym Mhennal,
Yng Nghorwen, hotel;
Deud ei enw'n *Ruthin Town*
Sydd fel deud 'blydi hel'.

Mae'n ddrama, mae'n nofel,
Mae'n gerflun, mae'n gân
Ac yn handi iawn
I gynnau tân.

Mae'n faes y frwydr
Ac yn opera roc
Ac yn senedd-dy
Jyst i fyny o'r cloc.

Mae'n dîm Cynghrair Sul
Ym Môn – a mwy:
'Valley Hawks – Dim
Owain Glyndŵr – Dwy.' *IES!!*

Mae'n gartref i Cefn,
Yn y Blaenau: siop Spar
Ac yng Ngwernymynydd,
Cei stôl wrth ei far.

Sbeshal offyr yn *Cambria* –
Mae ar ei ffordd 'nôl!
Ond i'r cwango Cadw –
Dydio'n bygyr-ôl.

Mae'n ddewin yn Shakespeare,
Yn chwedl erioed
Ac yn dad y genedl
Yn llyfr J.E. Lloyd.

Mae'n glamp o lwncdestun
I yfwyr medd,
Mae'n garreg goffa
Ond *nid* yn garreg fedd.

Mae'n uno'r holl wlad
Eto, pwy sy'n siŵr
Beth sydd yn yr enw
'Owain Glyndŵr'?

MapD

Hedydd

Daliwyd a lladdwyd llawer o arweinwyr a milwyr Cymru ar feysydd cad ac mewn gwaed oer yn ystod y gwrthryfel, ond ni ddaliwyd Owain.

Anfonwyd milwyr, ysbïwyr a lleiddiaid cyflogedig o Loegr i geisio'i gornelu neu ei ddifa, ond ni lwyddwyd i gyflawni hynny. Cynigwyd arian enfawr am wybodaeth amdano, ond ni chafodd ei fradychu gan ei gyd-Gymry. Gwrthododd dderbyn amodau brenin Lloegr ac ni fynnai bardwn coron estron. Ciliodd, yn gyntaf ar herw, ac yna aeth i guddfan ac ni ŵyr neb eto i sicrwydd pa bryd yn union y bu farw nac ymhle y claddwyd ef. Trodd ei hanes yn chwedl a chadwodd ei enw yr ysbryd annibynnol Cymreig yn fyw.

Mae geiriau y croniclydd Cymreig wrth sôn am y cyfnod olaf yn llawn arwyddocâd: '1415: Aeth Owain i guddfan ar Ŵyl Fathew yn y Cynhaeaf, ac o hynny allan ni wybuwyd ei guddfan. Rhan fawr a ddywed ei farw, a brudwyr a ddywedant na bu.'

Y beirdd proffwydol oedd y 'brudwyr' a dalient hwy i sôn fod Owain am godi i arwain ei genedl eto: 'Myn Duw, mi a wn y daw'. Am genedlaethau ar ôl yr wrthryfel, mynnodd llawer o'r Cymry fyw ar herw o hyd yn hytrach nag ildio i drefn a chyfraith y Saeson. Ni chanodd yr un bardd farwnad i Glyndŵr ac mae hynny'n ddadlennol iawn o gofio bod marwnadau mor agos at galonnau beirdd Cymru ers cyn cof.

Y mae pennill – hen, hen bennill – ar gael, fodd bynnag, sy'n dwyn y teitl 'Marwnad yr Ehedydd'. Yn ôl un traddodiad, Glyndŵr ei hun neu un o filwyr Glyndŵr oedd dal ar herw yw'r 'hedydd' yn y gân. Mae'r pennill cyntaf yn draddodiadol ond y chwedl piau'r gweddill.

Mawl yr hedydd

Mi a glywais fod yr hedydd
Wedi marw ar y mynydd
Ac mi ochneidiai gŵr y geiria
Na fydd mwy o wŷr ag arfa
Pan gyrchwn gorff yr hedydd adra.

Erbyn hyn mae'r haf hirfelyn
Wedi troi i'r niwl ers meityn
A phrin yw'r un sydd ar adenydd
Yn herio'r dydd, waeth be fo'r tywydd,
A chodi'i gân uwch ben y gweunydd.

Mi a glywais rai yn sibrwd
Fod y nyth yn awr yn siwrwd,
Bod y bwncath ar y bannau
A bod holl dywyllwch angau
Yn ei lygaid a'i grafangau.

Mae 'na lygaid ar Bumlumon,
Mae 'na hela 'Nghoed Glyn Cynon,
Does 'na'm deryn rhydd ym Mawddwy,
Yr un carw yn Nanconwy,
Na'r un eog yng Nglyndyfrdwy.

Ond mi glywais air bach tawel,
Dim mwy na sgwrs y grug a'r awel,
Oedd yn deud, fel deud telyneg,
Heb un sill ohoni'n Saesneg,
Fod yr hedydd eto'n hedeg.

MapD

**'Rhan fawr a ddywaid iddo farw,
y beirdd ddywedant na bu...'**

Mynegai